— Dedicatória —

Dedico este livro a alguém especial:

_____

Que sua vida seja um canteiro de oportunidades.
O maior de todos os sonhos é ser feliz,
e ser feliz não é ser perfeito,
mas usar suas lágrimas para irrigar a tolerância,
usar suas falhas para corrigir suas rotas,
usar sua garra para correr atrás de seus projetos.
Quando você errar o caminho, não desista.
Dê sempre uma nova chance a si e aos outros.
Lembre-se: ser feliz é aplaudir a vida
mesmo diante das vaias

_____   /   /

Augusto Cury

Nunca desista de seus SONHOS

SEXTANTE

Copyright © 2004 por Augusto Jorge Cury

PREPARO DE ORIGINAIS
Regina da Veiga Pereira

REVISÃO
Ana Grillo
Denise Coutinho Koracakis
Gypsi Canetti
Sérgio Bellinello Soares

CAPA
Raul Fernandes

IMAGEM DA CAPA
Mark Owen/Trevillion Images

PROJETO GRÁFICO E DIAGRAMAÇÃO
Valéria Facchini de Mendonça

IMPRESSÃO E ACABAMENTO
Lis Gráfica e Editora Ltda.

CIP-BRASIL. CATALOGAÇÃO NA PUBLICAÇÃO
SINDICATO NACIONAL DOS EDITORES DE LIVROS, RJ

C988n

    Cury, Augusto, 1958
        Nunca desista de seus sonhos / Augusto Cury. – Rio de
    Janeiro: Sextante, 2015. 160 p.; 14 x 21 cm.

    ISBN 978-85-431-0255-9

        1. Autorrealização (Psicologia). 2. Sucesso. 3. Sucesso nos
    negócios. 4. Persistência. I. Título.

15-23976   CDD 158.1
                                                CDU 159.947

Todos os direitos reservados, no Brasil, por
GMT Editores Ltda.
Rua Voluntários da Pátria, 45 – Gr. 1.404 – Botafogo
22270-000 – Rio de Janeiro – RJ
Tel.: (21) 2538-4100 – Fax: (21) 2286-9244
E-mail: atendimento@sextante.com.br
www.sextante.com.br

Agradecimentos

Agradeço ao meu pai, Salomão, por ter acreditado em mim e me ensinado a sonhar com a medicina e com a ciência, mesmo quando eu o decepcionava na escola. Agradeço à minha mãe, Ana, pela sua riquíssima humildade e sensibilidade. Ela me ensinou a enxergar com os olhos do coração.

Agradeço à minha esposa, Suleima, por ter me estimulado a nunca desistir do meu sonho de produzir uma nova teoria sobre o funcionamento da mente e ter acreditado que ela poderia contribuir para a expansão da ciência e para o enriquecimento da humanidade. "Ao lado de um grande homem há uma grande mulher." Não sou um grande homem, mas tenho uma grande mulher.

Agradeço às minhas três filhas, Camila, Carolina e Cláudia, pelos beijos diários, pelo carinho e paciência que sempre tiveram comigo. Não deve ser fácil ser filha de um psiquiatra, pesquisador e escritor. Sou apaixonado por elas até o limite do meu entendimento.

Agradeço a amabilidade dos funcionários da Editora Sextante e aos meus amigos e editores Geraldo (*in memoriam*) e Regina (os pais) e Marcos e Tomás (os filhos). Eles são uma família encantadora. São poetas do mundo editorial. A Regina, ao revisar este livro, ficou tão inspirada com seu conteúdo que desejou que seus netos tenham muitos sonhos e que nunca desistam deles.

Agradeço a Deus por me emprestar diariamente o coração que pulsa, o oxigênio que respiro, o solo em que caminho e milhões de itens para que eu exista. Ele suportou meu cético ateísmo, me levou a encontrar a Sua assinatura atrás da cortina da existência e me fez enxergar que Seu sonho de ver a espécie humana unida, fraterna e solidária é o maior de todos os sonhos.

Agradeço a cada um dos meus milhões de leitores de várias nações. Para mim vocês são joias únicas no teatro da vida. Obrigado por existirem. O mundo precisa de pessoas que leiam, desenvolvam a arte de pensar e sonhem com uma humanidade melhor.

Sumário

- Prefácio
  Os sonhos alimentam a vida — 9

- Introdução
  Os sonhos abrem as janelas da inteligência — 13

- Capítulo 1
  O maior vendedor de sonhos da história — 22

- Capítulo 2
  Um sonhador que colecionava derrotas — 48

- Capítulo 3
  O sonho de um pacifista que enfrentou o mundo — 74

- Capítulo 4
  Um sonhador que desejou mudar os fundamentos da ciência e contribuir com a humanidade — 93

- Capítulo 5
  Nunca desista de seus sonhos — 138

- Referências bibliográficas — 155
- Comentários de leitores — 156

— *Prefácio* —

OS SONHOS ALIMENTAM A VIDA

Uma vida sem sonhos é uma manhã sem orvalhos, um céu sem estrelas, uma mente sem criatividade, uma emoção sem aventuras. Os sonhos não determinam o lugar aonde vamos, mas produzem a força necessária para nos tirar de onde estamos. Porém, eles não podem ser solitários, precisam enamorar-se da disciplina. Sonhos sem disciplina produzem pessoas frustradas, e disciplina sem sonhos produz pessoas autômatas, que só obedecem às ordens dos outros.

Sonhos e disciplina, eis o casamento perfeito para o êxito. Divorciar os sonhos da disciplina, eis a receita infalível para o fracasso. Ao distanciar os sonhos da disciplina, executivos perderam a capacidade de se reinventar, profissionais liberais esgotaram o ânimo para se atualizar, mulheres fragmentaram sua autoestima, jovens ficaram viciados no mundo digital e se tornaram meros consumidores de produtos e serviços.

Sonhar em ter uma empresa sustentável, em ser um profissional brilhante, em ter excelentes amigos, em conquistar um parceiro ou uma parceira inteligente e amável, em ter filhos para irrigar nossa história e em conhecer os mistérios da vida são aspirações que devem dominar o território de nossa mente. Mas, entre todos eles, o sonho mais relevante que devemos almejar é a saúde emocional. Sem ela, a tranquilidade fará parte dos dicionários, mas não da nossa existência, o sentido da vida se tornará uma miragem, a felicidade será uma utopia.

Sem saúde emocional, empresários empobreceram com altas somas de dinheiro no banco, casais se desgastaram e pais perderam os filhos mesmo sob seus cuidados. Mas para ter saúde emocional é necessário compreender que a vida é um contrato sem cláusulas definidas. Perdas e ganhos, elogios e frustrações, aplausos e vaias fazem parte da trajetória de todo ser humano. Por isso, devemos proteger a mente, gerenciar a ansiedade, trabalhar as perdas – enfim, ter resiliência.

O que é a resiliência? É a capacidade de preservar a integridade diante das adversidades. É, acima de tudo, aprender a proteger a própria emoção. Sem filtro, a mente se torna terra de ninguém, facilmente se aprisiona dentro de si mesma. A segurança de um ser humano não se mede pela inteligência, pelo dinheiro, pelo poder político ou pelos guarda-costas que ele tem. Mas pela capacidade do Eu em proteger sua emoção. Protegê-la é usar a dor para lapidar a paciência, usar a angústia para refinar a tolerância, usar as falhas para corrigir as rotas.

Mas como ser resiliente se nosso Eu, que representa a consciência crítica e a capacidade de escolha, não é treinado e equipado para lidar com as intempéries da vida? Profissionais em todo o mundo se formam nas mais diversas universidades, mas estão despreparados para os desafios socioprofissionais e existenciais, não sabem o que fazer com seus fracassos, suas crises, seu caos e suas decepções. Foram preparados para navegar em céu de brigadeiro, mas não para enfrentar os terremotos emocionais.

Você verá neste livro histórias de personagens incríveis – como o Mestre dos mestres, Abraham Lincoln, Martin Luther

King, Beethoven – que foram feridos, desprezados, incompreendidos, atravessaram os vales sórdidos das perdas, dos vexames, do escárnio e dos deboches. Se não tivessem aprendido a ter resiliência, não sobreviveriam, teriam não só desenvolvido doenças mentais, como também enterrado seus sonhos nos solos da dor, das crises e das dificuldades.

Muitos registram janelas traumáticas (*killer*) diante das ofensas e das injustiças. É normal. Mas gravitar em torno dessas janelas é doentio. Ter um Eu que chafurda na lama do passado reflete sua necessidade neurótica de remoer mágoas e frustrações. Isso nos torna reféns de nossa história, e não autores dela.

Vale a pena viver a vida, mesmo quando o mundo parece ruir aos nossos pés. Para isso, devemos usar nossos sonhos para temperar a existência, nossas dores para nos construir e não para nos destruir. Devemos gritar em silêncio que os melhores dias estão por vir, enfrentar os períodos mais tristes da vida não como pontos finais, mas como vírgulas para continuar a escrever nossa trajetória.

Infelizmente, a juventude está perdendo a capacidade de sonhar. Os jovens têm muitos desejos, mas poucos sonhos. Desejos não resistem às dificuldades, já os sonhos são projetos de vida, sobrevivem ao caos. A culpa, porém, não é dos jovens. Os adultos criaram uma estufa intelectual que lhes destruiu a capacidade de sonhar. Eles estão adoecendo coletivamente: são agressivos, mas introvertidos; querem muito, mas se satisfazem pouco.

Se os sonhos são pequenos, sua visão será pequena, suas metas serão limitadas, seus alvos serão diminutos, sua capacidade de suportar as tormentas será frágil. A presença dos sonhos transforma os miseráveis em reis, e a ausência deles transforma os milionários em mendigos. A presença dos sonhos faz de idosos, jovens, e a ausência deles faz dos jovens, idosos.

Os sonhos trazem saúde para a emoção, equipam o frágil para ser autor de sua história, renovam as forças do ansioso, animam os deprimidos, transformam os inseguros em pessoas de raro valor. Os sonhos fazem os tímidos se encherem de ousadia e os derrotados serem construtores de oportunidades. Uma mente saudável deveria ser uma usina de sonhos, pois eles oxigenam a inteligência e irrigam a vida de prazer e sentido.

Este livro foi escrito para todos os que precisam sonhar (crianças, jovens, pais, profissionais) e não apenas para psicólogos e educadores. Ele fala sobre a ciência dos sonhos, a mente dos sonhadores, a personalidade dos que nunca desistiram dos seus sonhos. Acima de tudo, ele ensina a pensar. Provavelmente, ao lê-lo, você vai repensar a sua vida. Uma mente saudável deveria ser uma usina de sonhos. Pois os sonhos oxigenam a inteligência e irrigam a vida de prazer e sentido.

Você também verá parte da minha história nesta obra: crises, rejeições, dificuldades, algumas lágrimas que chorei e outras que não tive coragem de chorar. Mas acho que lágrimas são vírgulas invertidas. Quando o mundo desabou sobre mim precisei ser um comprador de vírgulas para continuar a compor minha história... Todos os sonhadores escreveram seus melhores capítulos nos dias mais dramáticos... Espero que você faça parte desse time.

Augusto Cury,
Julho de 2015

— *Introdução* —

OS SONHOS ABREM AS JANELAS DA INTELIGÊNCIA

Quem consegue decifrar o ser humano?

Um paciente culto me disse certa vez que era capaz de enfrentar um cachorro bravio, mas morria de medo das borboletas. Quais são os riscos reais que uma borboleta produz?

Nenhum, a não ser encantar os olhos com sua beleza. O conflito desse paciente não são os perigos reais exteriores, mas os perigos imaginários. Seu drama não é gerado pela borboleta física, mas pela borboleta psicológica registrada de maneira distorcida nos solos da sua memória.

Sua mãe lhe disse na infância que, se tocasse numa borboleta com as mãos e as colocasse nos olhos, ficaria cego. Quando o menino tocou numa borboleta, sua mãe gritou. O grito de alerta cruzou com a imagem da borboleta. Ambos os estímulos foram registrados no mesmo lócus do inconsciente, na mesma janela da memória. A belíssima e inofensiva borboleta tornou-se um monstro.

Durante toda a infância, quando esse paciente enxergava uma imagem de uma borboleta bailando graciosamente no ar, ele detonava um gatilho psíquico que abria em milésimos de segundos a janela da memória em que a imagem doentia estava registrada. A borboleta imaginária era libertada do seu inconsciente, assaltava-lhe a emoção e roubava-lhe a tranquilidade.

O grande problema é que todas as vezes que ele tiver uma experiência angustiante diante de borboletas, ela será registrada novamente, contaminando inúmeras outras janelas da memória. Quanto mais áreas doentias estiverem comprometidas em seu inconsciente, mais ele irá reagir sem racionalidade. Se esse paciente não reescrever a sua história, poderá tornar-se uma pessoa fóbica, frágil, sem capacidade de lutar pelos seus sonhos e com tendência a inúmeros outros tipos de medos.

O mecanismo que acabamos de descrever é um dos segredos da psicologia. Demoramos mais de um século para compreendê-lo. Por meio da teoria da Inteligência Multifocal estamos desvendando alguns fenômenos contidos nos bastidores da nossa mente que afetam todo o processo de construção de pensamentos e geram os traumas psíquicos. Não é a realidade concreta de um objeto que importa para nossa personalidade, mas a realidade interpretada, registrada.

Para alguns, um elevador é um lugar de passeio; para outros, um cubículo sem ar. Para uns, falar em público é uma aventura; para outros, um martírio que obstrui a inteligência. Para uns, as derrotas são lições de vida; para outros, um sufocante sentimento de culpa. Para uns, o desconhecido é um jardim; para outros, uma fonte de pavor. Para uns, uma perda é uma dor insuportável; para outros, um golpe que lapida o diamante da emoção.

Todos criamos monstros que dilaceram sonhos

Quantos monstros imaginários foram arquivados nos subsolos da sua mente furtando seu prazer de viver e dilacerando seus sonhos? Todos temos monstros escondidos por detrás da nossa gentileza e serenidade.

A maneira como enfrentamos as rejeições, decepções, erros, perdas, sentimentos de culpa, conflitos nos relacionamentos, críticas e crises profissionais pode gerar maturidade ou angústia, segurança ou traumas, líderes ou vítimas. Alguns momentos geraram conflitos que mudaram nossas vidas, ainda que não percebamos.

Algumas pessoas não se levantaram mais depois de certas derrotas. Outras nunca mais tiveram coragem de olhar para o horizonte com esperança depois de suas perdas. Pessoas sensíveis foram encarceradas pela culpa, tornaram-se reféns do seu passado depois de cometerem certas falhas. A culpa as asfixiou.

Alguns jovens extrovertidos perderam para sempre sua autoestima depois que foram humilhados publicamente. Outros perderam a primavera da vida porque foram rejeitados por seus defeitos físicos ou por não terem um corpo segundo o padrão doentio de beleza ditado pela mídia.

Alguns adultos nunca mais se levantaram depois de atravessar uma grave crise financeira. Mulheres e homens perderam o romantismo depois de fracassarem em seus relacionamentos afetivos, após terem sido traídos, incompreendidos, feridos ou não amados.

Filhos perderam a vivacidade nos olhos depois que um dos pais fechou os olhos para a existência. Sentiram-se sós no meio da multidão. Crianças perderam sua ingenuidade depois da separação traumática dos pais. Foram vítimas inocentes de uma guerra que nunca entenderam. Trocaram as brincadeiras pelo choro oculto e cálido.

A complexidade da mente humana nos faz transformar uma borboleta num dinossauro, uma decepção num desastre emocional, um ambiente fechado num cubículo sem ar, um sintoma físico num prenúncio da morte, um fracasso num objeto de vergonha.

Precisamos resolver nossos monstros secretos, nossas feridas clandestinas, nossa insanidade oculta (Foucault, 1998). Não podemos nunca esquecer que os sonhos, a motivação, o desejo de ser livre nos ajudam a superar esses monstros, vencê-los e utilizá-los como servos da nossa inteligência. Não tenha medo da dor, tenha medo de não enfrentá-la, criticá-la, usá-la.

Todos somos complexos e complicados

Na minha trajetória como cientista da psicologia e psiquiatra clínico eu me convenci de que nada é tão lógico quanto o ser humano e nada é tão contraditório quanto ele. Podemos criar no teatro das nossas mentes os extremos: o drama e a sátira, o pânico e o sorriso, a força e a fragilidade.

Somos tão criativos que, quando não temos problemas, nós os inventamos. Alguns são especialistas em sofrer por coisas que eles mesmos criaram. Outros têm motivos para serem alegres, mas mendigam o prazer. Possuem grandes depósitos nos bancos, mas estão endividados no âmago do seu ser. São ansiosos e estressados.

Gandhi comentou com sensibilidade: "O que pensais, passais a ser." O que pensamos afeta a emoção, infecta a memória e gera as misérias psíquicas. Nunca houve tantos miseráveis em carros importados, trabalhando em grandes escritórios, viajando de avião, saindo nas capas de revistas. Quem é escravo dos seus pensamentos não é livre para sonhar.

Ser complicado não é um privilégio de uma pessoa, de um povo, de um grupo social, de uma faixa etária. Adultos e crianças, psiquiatras e pacientes, intelectuais e alunos são complicados, têm momentos em que se irritam por pequenas coisas, sofrem desnecessariamente. Uns mais, outros menos.

É impossível estar livre de contradições e incoerências. Por quê? Porque temos uma complexa emoção que influencia a lógica dos pensamentos, as reações e atitudes humanas.

Qualquer pessoa que quer ser perfeita demais estará apta a ser um computador, mas não uma pessoa completa. Não devemos ficar aborrecidos por sermos tão complicados. Se, por um lado, nossas dores de cabeça surgem no campo que extrapola a lógica, as maravilhas da nossa inteligência também surgem nessa esfera.

Nossa capacidade de amar, tolerar, brincar, criar, intuir, sonhar é uma das maravilhas que surgem numa esfera que ultrapassa os limites da razão. Todas as pessoas muito racionais amam menos e sonham pouco. Os sensíveis sofrem mais, mas amam mais e sonham mais.

Inspiração e transpiração

Nem sempre os sonhos são definidos e bem organizados no teatro da mente. Às vezes nascem como pequenos traçados, simples esboços, ideias vagas que vão se desenhando e tomando forma ao longo da vida. Todas as grandes mudanças da humanidade no campo social, político, emocional, científico, tecnológico e espiritual surgiram por causa dos grandes sonhos.

Para ter grandes sonhos e produzir importantes mudanças na sociedade não é preciso ter características genéticas superiores ou privilégios dos gênios.

Thomas Edison acreditava que as conquistas humanas compõem-se de 1% de inspiração e 99% de transpiração. O inventor da "luz exterior" teve uma luz interior. Acredito que seu princípio tem fundamento, mas precisa de correção.

Creio que as conquistas dependem de 50% de inspiração, criatividade e sonhos, e 50% de disciplina, trabalho árduo e determinação. São duas pernas que devem caminhar juntas. Uma depende da outra, caso contrário nossos projetos tornam-se miragens, nossas metas não se concretizam.

Quem quer atingir a excelência nos seus estudos, nas suas relações afetivas e na sua profissão precisa libertar a criatividade para ser um sonhador e libertar a coragem para ser um empreendedor. Estes dois pilares contribuem para formar o caráter de um líder.

Os segredos dos que mudaram a história

A maior genialidade não é aquela que vem da carga genética nem a que é produzida pela cultura acadêmica, mas a que é construída nos vales dos medos, no deserto das dificuldades, nos invernos da existência, no mercado dos desafios.

Muitos sonhadores desenvolveram áreas nobres da sua inteligência, áreas que todos têm condições de desenvolver. Eles atravessaram turbulências quase que insuperáveis. Suportaram pressões que poucos tolerariam. Viveram dias ansiosos, sentiram-se pequenos diante dos obstáculos.

Alguns foram chamados de loucos; outros, de tolos. Zombaram de alguns, outros foram discriminados. Tinham todos os motivos para desistir dos seus sonhos e, em certos momentos, até da própria vida. Mas não desistiram. Quais foram os seus segredos?

Eles fizeram da vida uma aventura. Não foram aprisionados pela rotina. Claro, é impossível escapar da rotina. Em muitos momentos ela é um calmante necessário. Mas esses sonhadores passaram pelo menos 10% do seu tempo criando, inventando, descobrindo.

Tiveram uma visão panorâmica da existência em tempo nublado. Foram empreendedores, estrategistas, persuasivos, amigos do otimismo. Foram sociáveis, observadores, analíticos, críticos.

Fizeram escolhas, traçaram metas e as executaram com *paciência*. Para o filósofo Kant, "a paciência é amarga, mas seus frutos são doces". A paciência é o diamante da personalidade. Muitos discorrem sobre ela, poucos são seus amantes. Mas os que a conquistam colherão os mais excelentes frutos.

Para Plutarco, "a paciência tem mais poder do que a força". Não meça um ser humano pelo seu poder político e financeiro. Meça-o pela grandeza dos seus sonhos e pela paciência em executá-los. Mas a paciência precisa de outro remo para conduzir o barco dos sonhos. Qual?

Precisa da *coragem* para correr riscos. Os maiores riscos para quem sonha são as pedras do caminho. Tropeçamos nas pequenas pedras e não nas grandes montanhas. Quem é controlado pelos riscos e pelos perigos das jornadas não tem resistência emocional. Cedo recua. *Você tem essa resistência?*

Epicuro acreditava que "os grandes navegadores deviam sua reputação aos temporais e às tempestades". Se você tiver medo das tempestades, nunca navegará pelos mares desconhecidos. Jamais conquistará outros continentes.

Os que transformaram seus sonhos em realidade aprenderam a ser líderes de si mesmos para depois liderar o mundo que os cercava. Tinham uma ambição positiva, queriam transformar a sua sociedade, a sua empresa, seu espaço afetivo. Eram pessoas inconformadas tanto com os problemas sociais quanto com suas mazelas psíquicas.

Seus sonhos se tornaram realidade porque ganharam um combustível emocional que jamais se apagou, mesmo ao atravessarem chuvas torrenciais. Qual é esse combustível? *A paixão pela vida, o amor pela humanidade.* Foram dominados por um desejo incontrolável de serem úteis para os outros. Quem vive para si mesmo não tem raízes internas.

É possível destruir o sonho de um ser humano quando ele sonha para si, mas é impossível destruir seu sonho quando ele sonha para os outros, a não ser que lhe tirem a vida. Os ditadores jamais destruíram os sonhos dos que sonharam com a liberdade do seu povo. Morreram os ditadores, enferrujaram-se as armas, mas não se destruíram os sonhos de quem ama ser livre.

Garimpando ouro nos escombros das derrotas

Farei neste livro uma análise aberta, livre e crítica sobre o funcionamento da mente de quatro personagens que construíram belíssimos sonhos e que fizeram outros sonharem. Escolhi quatro personagens apaixonados pela humanidade. E que passaram por momentos em que foram desacreditados, excluídos, feridos, considerados loucos, tolos, audaciosos.

Eles atravessaram o território do medo e escalaram os penhascos das dificuldades. Tombaram pelo caminho, feriram-se, mas continuaram caminhando quando muitos não acreditavam que se levantariam.

Tinham tudo para não dar certo, mas brilharam. Não eram especiais por fora, mas garimparam pedras preciosas nas ruínas dos seus traumas. *Você sabe garimpar ouro em seus conflitos?*

A maioria dos adultos da atualidade teria desistido dos seus sonhos e adoecido psiquicamente se tivesse vivido uma pequena parte dos transtornos que esses personagens suportaram.

Muitos jovens recuariam diante de obstáculos semelhantes. A juventude está despreparada para viver nessa estressante sociedade. Os jovens precisam desenvolver urgentemente resistência intelectual e emocional para suportar perdas, derrotas, humilhações, injustiças.

O que diferencia os jovens que fracassam dos que têm sucesso não é a cultura acadêmica, mas a capacidade de superação das adversidades da vida.

Estudaremos as reações desses quatro personagens diante das suas derrotas, veremos sua capacidade de superação, sua competência para serem líderes de si mesmos, sua coragem para correrem riscos, seus talentos intelectuais, sua intuição, sua visão multifocal da realidade.

Muitos outros personagens mereceriam ser descritos aqui, como Buda, Confúcio, Dostoiévski, Kant, Montaigne, John Kennedy, Gandhi, Thomas Edison, Einstein, porque foram grandes sonhadores. Por falta de espaço, não os analisarei, mas usarei as ideias de vários deles para me ajudarem na árdua tarefa de interpretação.

Creio que ao analisar a mente dos quatro personagens escolhidos estarei dissecando alguns princípios fundamentais que alicerçaram a inteligência dos grandes sonhadores de todas as eras. Teremos uma visão global (Morin, 2000) sobre a formação de pensadores.

As histórias que reconstruirei são baseadas em fatos reais. Não tenho a intenção de escrever uma biografia dos quatro personagens, portanto raramente mencionarei datas. Seguirei apenas uma sequência dos fatos mais importantes para minha interpretação.

O passado é uma cortina de vidro. Felizes os que observam o passado para poder caminhar no futuro. Penetraremos juntos como um cientista analisando as reações desses personagens em alguns eventos marcantes de suas vidas.

Ficaremos surpresos com suas histórias. Creio que elas nutrirão nossa inteligência, nos estimularão a desenterrar nossos sonhos e nos darão ferramentas para que possamos nos reconstruir.

Vamos penetrar no espetacular mundo que produz pesadelos e constrói sonhos.

— *Capítulo 1* —

O MAIOR VENDEDOR
DE SONHOS DA HISTÓRIA

Pequenos momentos que mudam uma história

Pequenos detalhes mudam uma vida. Um marido deu um beijo na esposa e disse que ela estava linda. Havia tempos não fazia isso. Ele a tinha ferido sem perceber. Seu pequeno gesto reeditou uma janela da memória da esposa onde havia uma mágoa oculta. A alegria voltou. A vida inteira precisamos de graça e gentileza (Platão, 1985).

Um pai elogiou um filho. O elogio partiu do coração do pai e penetrou nos becos da emoção do filho, oxigenando a relação que havia tempos estava desgastada. Um beijo, um elogio, um abraço desferido no golpe de um segundo são capazes de superar uma dor alojada há semanas, meses ou anos.

Os que desprezam os pequenos acontecimentos nunca farão grandes descobertas. Pequenos momentos mudam grandes rotas. Foi isso que aconteceu há muitos séculos na vida de alguns jovens que moravam na beira da praia de um país explorado e castigado pela fome. Pequenos momentos mudaram a maneira de pensar a existência. O mundo nunca mais foi o mesmo.

A personalidade construída sobre o crepitar das ondas

O vento roçava a superfície do mar, que levantava o espelho d'água, que produzia o nascedouro das ondas num espetáculo sem fim. As ondas espumavam diariamente e se debruçavam orgulhosamente na orla das praias.

Alguns meninos cresceram correndo pela areia. Pegavam as bolhas que se formavam no estalido das ondas. Elas brilhavam nas palmas das mãos, mas logo se despediam, dissolviam e vazavam entre seus dedos, como se dissessem: "Eu pertenço ao mar." Erguendo o semblante para o mar, os meninos diziam secretamente: "Nós também lhe pertencemos."

Assim era a vida desses jovens. Seus avós tinham sido pescadores, seus pais foram pescadores e eles eram pescadores e morreriam pescadores. A história deles estava cristalizada. Os seus sonhos? Ondas e peixes.

Sonhavam com os cardumes. Entretanto, os peixes escassearam. A vida era árdua. Puxar as pesadas redes do mar era extenuante. Suportar as rajadas de ventos frios e as ondas rebeldes toda noite não era para qualquer um. E o pior, o resultado os frustrava. Cabisbaixos, reconheciam o fracasso. O mar tão grande se tornara uma piscina de decepções.

Todos os dias enfrentavam a mesma rotina e os mesmos obstáculos. Queriam mudar de vida. Mas faltava-lhes coragem. O medo do desconhecido os bloqueava. Era melhor ter muito pouco do que correr o risco de não ter nada, pensavam.

Na mente desses jovens não deviam passar inquietações sobre os mistérios da vida. A falta de cultura e a labuta pela sobrevivência não os estimulavam a grandes voos intelectuais. Viver para eles era fenômeno comum e não uma aventura indecifrável.

Nada parecia mudar-lhes o destino até que surgiu no caminho deles o maior vendedor de sonhos de todos os tempos.

Um convite perturbador

Naquelas bandas algo novo quebrou a mesmice. Havia um homem que morara por trinta anos num deserto. Seus discursos eram estranhos, seus gestos, bizarros. Parecia delirar em seu modo estranho de viver. Estava perturbado com a ideia fixa de que era o precursor do homem mais importante que jamais pisaria na Terra.

Seu nome era João, cognominado de Batista. O que parecia estranho é que ele não convivera com a pessoa que anunciava, mas ela havia ocupado o seu imaginário. Ele fazia discursos eloquentes às margens de um rio, descrevendo aquele homem com a precisão de um cirurgião.

Multidões se aproximavam para ver o espetáculo das suas ideias. Ele teve a coragem de dizer que o homem que aguardava era tão grande que ele mesmo não era digno de desatar-lhe as correias das sandálias. As pessoas ficavam perplexas com essas palavras.

Como podia um rebelde aos padrões sociais, que não tinha papas na língua, que não tinha medo de dizer o que pensava, elevar tão alto alguém que não conhecia? Que homem seria esse que João anunciava em seus discursos?

Esses discursos desenhavam no anfiteatro da mente dos ouvintes os mais diferentes quadros. Alguns achavam que o homem anunciado apareceria como um rei, com vestes talares. Outros imaginavam que ele apareceria como um general acompanhado por grande escolta. Outros ainda pensavam que ele era uma pessoa riquíssima que viria numa elegante carruagem, com uma equipe inumerável de serviçais. Todos o aguardavam ansiosamente.

Apesar da diversidade das fantasias, a maioria concordava que o encontro com ele seria solene. Todos esperavam um discurso arrebatador. De repente, no calor do entardecer, quando os olhos confundiam as imagens no horizonte, surgiu discretamente um homem simples, de origem pobre. Ninguém o notou.

Suas vestes eram surradas, sem nenhum requinte. Sua pele era desidratada, seca e sulcada, resultado do trabalho árduo e da longa exposição ao sol. Não tinha escolta, não tinha carruagem, não tinha serviçais.

Procurava passagem no meio da multidão. Tocava as pessoas com suavidade, pedia licença e pouco a pouco conseguia seu espaço. Alguns não gostaram, outros ficaram indiferentes à sua atitude.

Subitamente os olhares se cruzaram. João contemplou o homem dos seus sonhos. Foi arrebatado pela imagem. A imagem da fantasia das pessoas não coincidia com a imagem real. João via o que ninguém enxergava e, para espanto da multidão, exaltou sobremaneira aquele homem simples.

As pessoas ficaram confusas e decepcionadas. Se a imagem as chocou, esperavam pelo menos que seus ouvidos se deliciassem com o mais excelente discurso. Afinal de contas, a fome e os transtornos sociais eram enormes. Elas precisavam de alento.

Porém, o homem dos sonhos de João entrou mudo e saiu calado. O sonho da multidão se dissipou como as gotas d'água agredidas pelo sol do Saara. Desiludidas, as pessoas se dispersaram. Mergulharam novamente na sua entediante rotina.

Alguns jovens ouviram falar dos sonhos de João. Mas estavam ocupados demais com a própria sobrevivência. Nada os animava, a não ser ouvir o grito do corpo suplicando por pão para saciar o instinto. O mar era seu mundo.

Não havia nada diferente no ar. De repente, dois irmãos ergueram os olhos e viram uma pessoa diferente caminhando pela praia. Não se importaram. Os passos do desconhecido eram lentos e firmes. O viandante se aproximou. Os passos silenciaram. Seus olhos focalizaram os jovens.

Incomodados, eles se entreolhavam. Então, o estranho estilhaçou o silêncio. Ergueu a voz e lhes fez a proposta mais absurda do mundo: "Vinde após mim que eu vos farei pescadores de homens."

Nunca tinham ouvido tais palavras. Elas perturbaram seus paradigmas. Mexeram com os segredos de suas almas. Ecoaram num lugar que os psiquiatras não conseguem perscrutar. Penetraram no espírito humano e geraram um questionamento sobre o significado da vida, sobre o valor da luta.

Todos deveríamos em algum momento da existência questionar nossas vidas e analisar pelo que estamos lutando. Quem não consegue fazer este questionamento será servo do sistema, viverá para trabalhar, cumprir obrigações profissionais e apenas sobreviver. Por fim, sucumbirá no vazio.

Os nomes dos irmãos que ouviram esse convite eram Pedro e André. A rotina do mar havia afogado os seus sonhos. O mundo deles tinha poucas léguas. Mas apareceu-lhes um vendedor de sonhos que lhes incendiou o espírito. Com uma sentença ele os estimulou a trabalharem para a humanidade, a enfrentarem o oceano imprevisível da sociedade.

Jesus Cristo não havia feito nenhum ato sobrenatural, no entanto sua voz tinha o maior de todos os magnetismos, porque vendia sonhos. Vender sonhos é uma expressão poética que fala de algo invendável. Ele distribuía um bem que o dinheiro jamais pôde comprar. O Mestre dos Mestres assombra os fundamentos da psicologia.

Quem se arriscaria a segui-lo?

Pense um pouco. Por que seguir esse homem? Quais são as credenciais daquele que fez a proposta? Que implicações sociais e emocionais ela teria? O vendedor de sonhos era um estranho para os dois irmãos. Não tinha nada de palpável para oferecer a esses jovens.

Você aceitaria tal oferta? Largaria tudo para entregar sua vida em prol da humanidade? Jesus não prometeu estradas sem acidentes, noites sem tempestades, sucessos sem perdas. Mas prometeu força na terra do medo, alegria nas lágrimas, afeto no desespero.

Parecia loucura segui-lo. Teriam de explicar para os amigos e parentes sua atitude. Mas como explicar o inexplicável? Pedro e André foram atraídos pelo vendedor de sonhos, mas não entendiam as consequências de seus atos. Só sabiam que qualquer barco, ainda que fosse o maior dos navios, era pequeno demais para conter seus sonhos.

Pouco depois, o Mestre da vida encontrou dois outros irmãos mais novos e inexperientes. Eram Tiago e João. Eles estavam à beira da praia consertando as redes. Ao seu lado se encontravam seu pai e os empregados. O Mestre se aproximou deles, fitou-os e fez o mesmo e intrigante convite.

Não os persuadiu, não ameaçou nem pressionou, apenas os convidou. Foram cinco segundos que mudaram suas vidas. Foram cinco segundos que abriram as janelas da memória que continham anos de anseio pela liberdade e pelo libertador da nação oprimida.

Zebedeu, o pai, ficou pasmo com a atitude dos filhos. Escorriam lágrimas no seu rosto e dúvidas na sua alma. Ele tinha barcos. Era um negociante. Sua esposa era uma mulher de fibra. Queria que seus filhos fossem prósperos no território da Galileia. Mas veio alguém e lhes ofereceu o mundo, chamou-os para trabalhar no coração humano.

Deixarem-se convencer de que ele era o Messias era uma tarefa árdua. Ele não podia ser tão comum, despojado, sem pompa e comitiva. Os empregados, chocados, perderam o fôlego.

O pai, vendo a ousadia dos filhos e observando seus olhos brilhando como pérolas em busca dos mais excelentes sonhos, os abençoou. Talvez tenha pensado: "Os jovens são rápidos para decidir e rápidos para retornar; logo voltarão para o mar."

A vida é um contrato de risco

Basta estar vivo para correr riscos. Risco de fracassar, ser rejeitado, frustrar-se consigo mesmo, decepcionar-se com os outros, ser incompreendido, ofendido, reprovado, adoecer. Não devemos correr riscos irresponsáveis, mas também não devemos temer andar por terrenos desconhecidos, respirar ares nunca antes aspirados.

Viver é uma grande aventura. Quem ficar preso num casulo com medo dos acidentes da vida, além de não eliminá-los, será sempre frustrado. Quem não tem audácia e disciplina pode alimentar grandes sonhos, mas eles serão enterrados nos solos da sua timidez e nos destroços das suas preocupações. Estará sempre em desvantagem competitiva.

Os jovens galileus foram corajosos ao atender ao convite de Jesus Cristo. Tinham muitos defeitos em sua personalidade, mas começaram a ver o mundo de outra maneira. Abriram o leque da inteligência.

Não sabiam onde dormiriam nem o que comeriam, só sabiam que o vendedor de sonhos indicava que queria mudar o pensamento do mundo. Não sabiam como ele realizaria seu projeto, mas não queriam ficar longe desse sonho.

Porém quem foi mais audacioso: os discípulos ao seguir Jesus ou Jesus ao escolhê-los? O material humano é vital para o sucesso de um empreendimento. Uma empresa pode ter máquinas, tecnologia, computadores, mas, se não tiver homens criativos, inteligentes, motivados, que saibam prevenir erros, trabalhar em equipe e pensar a longo prazo, ela poderá sucumbir.

Vejamos o material humano que o vendedor de sonhos escolheu e quais os riscos que ele correu. Farei apenas uma síntese das características de personalidade de alguns discípulos.

O time escolhido pelo Mestre dos Mestres

Mateus tinha péssima reputação. Era um publicano, coletor de impostos. Na época, os coletores eram famosos pela corrupção. Os judeus os odiavam porque eles estavam a serviço do Império Romano, que os explorava. Mateus era uma pessoa sociável, gostava de festas e provavelmente usava dinheiro público para promovê-las.

Tomé tinha a paranoia da insegurança. Só conseguia acreditar naquilo que tocava. Era rápido para pensar e rápido para desacreditar. Andava segundo a lógica, faltava-lhe sensibilidade e imaginação. O mundo tinha que girar em torno das suas verdades, impressões e crenças. Desconfiava de tudo e de todos.

Pedro era o mais forte, determinado e sincero do grupo. Porém, era inculto, iletrado, intolerante, irritado, agressivo, inquieto, impaciente, indisciplinado, não suportava ser contrariado. Não era empreendedor, e, como muitos jovens, não planejava o futuro, vivia somente em função dos prazeres do presente.

Suas desqualificações não paravam por aí. Era hiperativo e intensamente ansioso. Impunha, e não expunha suas ideias. Trabalhava mal suas frustrações. Repetia os mesmos erros com frequência. Se vivesse nos tempos de hoje, seria um aluno que todo professor queria ver em qualquer lugar do mundo, menos em sua sala de aula. Mas ele foi um dos escolhidos. Você teria coragem de escolhê-lo?

No momento em que seu Mestre foi preso, o clima era tenso e destituído de racionalidade. Havia uma escolta de cerca de trezentos soldados no local. Impulsivo, Pedro cortou a orelha de um soldado. A sua reação quase provoca uma chacina. Todos os discípulos correram risco de morrer por sua atitude impensada. João era o mais jovem, amável, prestativo e altruísta. Porém, também era ambicioso, irritado, intolerante, intempestivo. Não sabia colocar-se no lugar dos outros nem pensar antes de reagir. Não sabia proteger sua emoção nem filtrar os estímulos estressantes.

Almejava a melhor posição entre os discípulos. Pensava que o reino de Jesus era político, e por isso, após uma reunião familiar, sua mãe suplicou ao Mestre, no auge da fama, que quando instalasse seu governo um de seus filhos se assentasse à sua direita e o outro à esquerda. Os cargos inferiores pertenceriam aos outros.

A personalidade de João tinha paradoxos. Era simples e explosiva, amável e flutuante. Jesus chamou a ele e a seu irmão Tiago de Boanerges, que quer dizer "filhos do trovão". Quando confrontados, reagiam agressivamente.

Apesar de ter ouvido incansavelmente o discurso de Jesus Cristo sobre dar a outra face, amar os inimigos, perdoar tantas vezes quantas fossem necessárias, João teve a coragem de pedir ao próprio Jesus que assassinasse com fogo os que não seguiam com eles.

Judas Iscariotes era moderado, dosado, discreto, equilibrado e sensato. Não há elementos que indiquem que se tratava de uma pessoa tensa, ansiosa e inquieta. Nunca tomou uma atitude agressiva ou impensada. Jamais foi repreendido por seu Mestre.

Sabia lidar com contabilidade, e por isso cuidava do dinheiro do grupo. Era um zelote, pertencia a um grupo social de refinada cultura. Provavelmente era o mais eloquente e o mais polido dos discípulos. Mostrava preocupação com as causas sociais. Agia silenciosamente.

Os discípulos diante de uma equipe de psicólogos

Se uma equipe de psicólogos especialista em avaliação da personalidade e desempenho intelectual analisasse a personalidade do time escolhido pelo Mestre dos Mestres, provavelmente todos seriam desaprovados, exceto Judas.

Judas era o mais bem preparado dos discípulos. Tinha as melhores características de personalidade, exceto uma: não era uma pessoa transparente. Ninguém sabia o que se passava dentro dele. Essa característica corroeu sua personalidade como traça. Levou-o a ser infiel a si mesmo, a perder a capacidade de aprender.

Tinha tudo para brilhar, mas aprisionou-se no calabouço dos seus conflitos. Antes de trair Jesus, traiu a si mesmo. Traiu sua consciência, seu amor pela vida, seu encanto pela existência. Isolou-se, tornou-se autopunitivo.

O maior vendedor de sonhos de todos os tempos, contrariando a lógica, escolheu uma equipe de jovens completamente despreparada para a vida e para executar um grande projeto. Os discípulos correram riscos ao segui-lo, mas ele correu riscos incomparavelmente maiores ao escolhê-los.

Ele tinha pouco mais de três anos para ensinar-lhes. Era um tempo curtíssimo para transformá-los no maior grupo de pensadores e empreendedores desta Terra. Almejava lapidar a sabedoria na personalidade rude e complicada deles e torná-los capazes de incendiar o mundo com suas ideias, e desse modo mudar para sempre a história da humanidade.

A escolha de Jesus não foi baseada no que aqueles jovens possuíam, mas no que ele era. A autoconfiança e a ousadia de Jesus não têm precedentes. Ele preferiu começar do zero, trabalhar com jovens completamente desqualificados a trabalhar com os fariseus saturados de vícios e preconceitos. Preferiu a pedra bruta à mal lapidada.

Os sonhos que contagiavam o inconsciente

A vida sem sonhos é como um céu sem estrelas. Alguns sonham em ter filhos, em rolar no tapete com eles, em se tornarem seus grandes amigos. Outros sonham em ser cientistas, em explorar o desconhecido e descobrir os mistérios do mundo. Outros sonham em ser socialmente úteis, em aliviar a dor das pessoas.

Alguns sonham com uma excelente profissão, em ter grande futuro, em possuir uma casa na praia. Outros sonham em viajar pelo mundo, conhecer novos povos, novas culturas e se aventurar por ares nunca antes desvendados. Sem sonhos, a vida é como uma manhã sem orvalho, seca e árida.

O Mestre dos Mestres andava aos brados pelas cidades, vielas e na beira das praias, discursando sobre os mais belos sonhos. Seu discurso era contagiante. Seus ouvintes ficavam eletrizados. Seus sonhos mexiam com os desejos fundamentais do ser humano de todas as eras. Eles tocavam o inconsciente coletivo e traziam dignidade à existência tão breve, tão bela, mas tão sinuosa.

Quais foram os principais sonhos que abriram as janelas da inteligência dos discípulos e irrigaram suas vidas com uma meta superior?

Vendia o sonho de um reino justo

As pessoas que o ouviam ficavam perplexas. Elas deviam se perguntar: "Quem é esse homem? Que reino justo é esse que ele proclama? Conhecemos os reinos terrenos que nos exploram e nos discriminam, mas nunca ouvimos falar de um reino dos céus."

Ele proclamava com ousadia: "Arrependei-vos porque está próximo o reino dos céus." A palavra "arrepender" usada por Jesus explorava uma importante função da inteligência. Ela não significava culpa, autopunição ou lamentação. No grego ela significa uma mudança de rota, revisão de vida.

Queria que as pessoas repensassem seus caminhos, revisassem seus conceitos, retirassem o gesso de suas mentes. Os que são incapazes de se repensar serão sempre vítimas e não autores de sua história.

O Mestre dos Mestres discursava sobre um reino que estava além dos limites tempo-espaço. Um reino onde habitava a justiça, onde não havia classes sociais, não existia discriminação. Uma esfera onde a paz envolveria o território da emoção e as angústias e aflições humanas não seriam sequer recordadas. Não era este um grandioso sonho?

Os tempos de Jesus eram uma época de terror. Tibério César, o imperador romano, dominava o mundo com mão de ferro. Para financiar a pesada máquina administrativa de Roma, pesados impostos eram cobrados. A fome fazia parte do cotidiano. Não se podia questionar. Todo motim era debelado com massacres.

O momento político recomendava discrição e silêncio. Mas nada calava a voz do mais fascinante vendedor de sonhos.

Vendia o sonho da liberdade
Sem liberdade o ser humano se deprime, se asfixia, perde o sentido existencial. Sem liberdade, ou ele se destrói ou destrói os outros. Por isso o sistema carcerário não funciona.

A prisão exterior mutila o ser humano, não transforma a personalidade de um criminoso, não expande sua inteligência, não reedita as áreas do seu inconsciente que financiam o crime. Apenas imprime dor emocional. Eles precisam ser reeducados, conscientizados, tratados.

Jesus falava sobre a falta de liberdade interior, que é mais grave e sutil que a exterior. Vivemos em sociedades democráticas, falamos tanto de liberdade, mas frequentemente ela está longe do território da psique.

Existem diversas formas de restrição à liberdade. As preocupações existenciais, os pensamentos antecipatórios, a ditadura da estética do corpo e a exploração emocional das propagandas são algumas delas.

Gostaria de destacar a fábrica de ícones construída pela mídia. Os jovens não têm seus pais, professores e os demais profissionais que lutam para vencer profissionalmente como seus modelos de vida.

Seus modelos são mágicos: atores, esportistas, cantores que fazem sucesso do dia para a noite. Esse modelo mágico não tem alicerces, não dá subsídios para suportar dificuldades e enfrentar desafios. Cria uma masmorra interior, sonhos inalcançáveis. Cria uma grande maioria gravitando em torno de uma minoria. Para a psicologia, a supervalorização é tão aviltante quanto a discriminação.

Jesus discorria sobre uma liberdade poética. A liberdade de escolha, de construir caminhos, de seguir a própria consciência. Discursava sobre o gerenciamento dos pensamentos, a administração da emoção, o exercício da humildade, a capacidade de perdoar, a sabedoria de expor e não impor as ideias, a experiência plena do amor pelo ser humano e por Deus.

O Mestre da vida vivia o que discursava. Não impedia as pessoas de abandoná-lo, de traí-lo nem mesmo de negá-lo. Nunca houve alguém tão desprendido e que exercitasse de tal forma a liberdade.

Vendia o sonho da eternidade

Onde estão Napoleão Bonaparte, Hitler, Stalin? Todos pareciam tão fortes, cada um a seu modo, uns na força física, outros na loucura. Mas por fim todos sucumbiram ao caos da morte. Os anos passaram e eles se despediram do breve parêntese do tempo.

Viver é um evento inexplicável. Mesmo quando sofremos, nos angustiamos e perdemos a esperança, somos complexos e indecifráveis. Não apenas a alegria e a sabedoria, mas também a dor e a insensatez revelam a complexidade da psique humana.

Diariamente imprimimos no córtex cerebral, através da ação psicodinâmica do fenômeno RAM, milhares de experiências psíquicas. São milhões de experiências anuais que tecem a colcha de retalhos da nossa personalidade.

Quem pode esquadrinhar os fenômenos que nos transformam em *"Homo intelligens"*? Quem pode decifrar os segredos que financiam as crises de ansiedade e as primaveras dos prazeres?

Quando viajo com minhas filhas à noite e vejo ao longe as casas nas fazendas com uma luz acesa, eu pergunto a elas: "Quem serão as pessoas que moram naquela casa? Quais são seus sonhos e suas alegrias mais importantes? Quais foram as lágrimas que elas nunca choraram?"

Desejo humanizar minhas filhas, levá-las a compreender que cada ser humano possui uma história fascinante, independentemente dos seus erros, acertos, vitórias e derrotas. Almejo que elas respeitem a vida e percebam a complexidade da personalidade.

Todavia, um dia essa personalidade experimenta o caos. A magnífica vida que possuímos vai para a solidão de um túmulo. Despreparada, enfrenta o seu maior evento, o seu capítulo final. Todo dinheiro, fama, status, labutas não acrescentam um minuto à existência. O fim da vida sempre perturbou o ser humano, dos primários aos intelectuais. Todos os heróis se tornam frágeis crianças no término da vida.

A medicina luta desesperadamente para prolongar a vida e dar qualidade a ela. As religiões têm a mesma aspiração. Elas discorrem sobre o alívio da dor e a superação da morte. Sem dúvida a continuidade consciente e livre da existência é o maior de todos os sonhos.

Do ponto de vista científico, nada é tão drástico para a

memória e para o mundo das ideias quanto o esfacelamento cerebral. A memória se desorganiza, bilhões de informações se perdem, os pensamentos se descolam da realidade, a consciência mergulha no vácuo da inconsciência. O tudo e o nada se tornam a mesma coisa.

Jesus vendia, com todas as letras, o sonho da eternidade. Ele tinha plena consciência das consequências filosóficas, psicológicas e biológicas da morte. Mas, com segurança inigualável, discorria sobre sua superação.

Para a perplexidade da medicina, ele dizia ousadamente que pisava nesta Terra para trazer esperança ao mortal. A morte não destruiria a colcha de retalhos da memória. O ser humano sobreviveria e resgataria sua identidade. Retomaria a sua consciência.

Pais abraçariam seus filhos depois que fechassem os olhos. Amigos se reencontrariam depois de longa despedida. Nunca alguém foi tão longe em seus sonhos. Os seus discursos arrebatavam multidões.

Vendia o sonho da felicidade inesgotável
É impossível exigir estabilidade plena da energia psíquica, pois ela se organiza, se desorganiza (caos) e se reorganiza continuamente. Não existem pessoas calmas, alegres, serenas sempre. Nem mesmo existem pessoas ansiosas, irritadas e incoerentes permanentemente.

Ninguém é emocionalmente estático, a não ser que esteja morto. Devemos reagir e nos comportar sob determinado padrão para não sermos instáveis, mas este padrão sempre refletirá uma emoção flutuante.

A pessoa mais tranquila perderá sua paciência. A pessoa mais ansiosa terá momentos de calma. Só os computadores são rigorosamente estáveis. Por isso eles são lógicos, programáveis e, portanto, de baixa complexidade.

Nós, ao contrário, somos tão complexos que nossa disposição, humor, interesses mudam com frequência. Devemos estar preparados para enfrentar os problemas internos e externos. Devemos ter consciência de que os problemas nunca vão desaparecer nesta sinuosa e bela existência. Podemos evitar alguns; outros, porém, são imprevisíveis. Mas os problemas existem para serem resolvidos e não para nos controlar. Infelizmente, muitos são controlados por eles. A melhor maneira de ter dignidade diante das dificuldades e sofrimentos existenciais é extrair lições deles. Caso contrário, o sofrimento é inútil.

Ser feliz, do ponto de vista da psicologia, não é ter uma vida perfeita, mas saber extrair sabedoria dos erros, alegria das dores, força das decepções, coragem dos fracassos. Ser feliz, nesse sentido, é o requisito básico para a saúde física e intelectual.

O maior vendedor de sonhos certa vez chocou seus ouvintes. Ele estava numa grande festa. O clima, entretanto, era de terror. Ele corria risco iminente de ser preso e morto. Seus discípulos esperavam que dessa vez ele fosse discreto, passasse despercebido. Mais uma vez ele os deixou perplexos.

Subitamente, ele se levantou e com voz altissonante disse: "Quem tem sede venha a mim e beba..." Ele discorreu sobre a angústia existencial que cala fundo em todo ser humano, dos ricos aos miseráveis, e vendeu o sonho do prazer pleno, do mais alto sentido da vida.

Ele bradou a todos os ouvintes que quem tivesse sede emocional bebesse da sua felicidade, quem fosse ansioso bebesse da sua paz. Jamais alguém fez esse convite em toda a história. Nunca alguém foi tão feliz na terra de infelizes.

A morte o rondava, mas ele homenageava a vida. O medo o cercava, mas ele bebia da fonte da tranquilidade. Que homem é esse que discursava sobre o prazer na terra do terror? Que homem é esse que revelava uma paixão pela vida quando o mundo desabava sobre ele? Sem dúvida, ele é o maior vendedor de sonhos de todos os tempos!

Trabalhando na personalidade até o último minuto

O Mestre dos Mestres tinha de revolucionar a personalidade do seu pequeno grupo para que os discípulos revolucionassem o mundo. Seria a maior revolução de todos os tempos. Mas essa revolução não poderia ser feita com o uso de armas, força, chantagem, pressões, pois estas ferramentas, sempre usadas na história, não conquistam o inconsciente. Elas geram servos, e não pessoas livres.

Parecia loucura o projeto de Jesus. Era quase impossível atuar nos bastidores da mente dos discípulos e transformar as matrizes conscientes e inconscientes da memória para tecer novas características de personalidade neles.

Não sabemos onde estão as janelas doentias da nossa personalidade. Para termos uma ideia, a área equivalente à cabeça de um alfinete contém milhares de janelas com milhões de informações no córtex cerebral. Como encontrá-las? Como transformá-las? O processo é tão complicado que um tratamento psíquico demora semanas, meses, e em alguns casos anos, para ser bem-sucedido.

Deletar a memória é uma tarefa fácil nos computadores. No homem ela é impossível. Todas as misérias, conflitos e traumas emocionais que estão arquivados não podem ser destruídos, a não ser que haja um trauma cerebral. A única possibilidade, como vimos, é sobrepor novas experiências no lócus das antigas – o que chamamos de reedição – ou então construir janelas paralelas que se abrem simultaneamente às doentias.

Se você tiver uma janela paralela que contém segurança, ousadia, determinação e que se abre simultaneamente às janelas do medo, do pânico, da ansiedade, você terá subsídios para superar sua crise. Se não possui essa janela, terá grande chance de se tornar uma vítima.

Mas como reeditar a memória dos discípulos ou construir janelas paralelas em tão pouco tempo? Sinceramente, era uma tarefa quase impossível. Se fosse viável transportar os mais ilustres psiquiatras e psicólogos clínicos através de uma máquina do tempo para tratar dos discípulos de Jesus com sete sessões por semana, mesmo assim os resultados seriam pobres. Por quê? Porque eles não tinham consciência dos seus problemas.

O grande desafio para o sucesso do tratamento psicológico não é a dimensão de uma doença, mas a consciência que o paciente tem da doença e a capacidade de intervenção na sua dinâmica.

Há poucos dias atendi um paciente que sofre de síndrome do pânico há dez anos. Tomou muitos tipos de antidepressivos e tranquilizantes, mas os ataques permaneceram.

Depois de conhecer a sua história, expliquei-lhe o mecanismo dos ataques de pânico. Comentei sobre a abertura das janelas da memória em frações de segundos, o volume de tensão decorrente dessa abertura e o encarceramento do "eu".

Disse-lhe que o "eu" deveria sair da plateia, entrar no palco da mente no momento do ataque de pânico (foco de tensão), desafiar sua crise, gerenciar os pensamentos, criticar a postura submissa da emoção e se tornar o diretor do roteiro da sua vida.

Esse processo é um treinamento. Quem o realiza reedita seu inconsciente e constrói janelas paralelas. Tem grande possibilidade de ficar livre dos medicamentos e do seu psiquiatra ou psicólogo.

Sempre que treino psicólogos, enfatizo que eles devem nutrir o "eu" dos pacientes para que eles deixem de ser espectadores passivos das próprias misérias. Os pacientes têm o direito de conhecer o funcionamento básico da mente, os papéis da memória, a construção das cadeias de pensamentos, para serem líderes de si mesmos.

Por que é tão difícil mudar a personalidade? Porque ela é tecida por milhares de arquivos complexos e contém bilhões de informações e experiências. Não possuímos ferramentas para mudar magicamente esses arquivos que se inter-relacionam multifocalmente.

Quem muda as janelas do medo, da impulsividade, da timidez, do humor triste, rapidamente? Na medicina biológica alguns tratamentos são rápidos; na medicina psicológica é necessário reescrever os capítulos da história arquivados na memória.

Os discípulos tinham milhares ou talvez milhões de janelas doentias. Eles frustraram seu Mestre continuamente durante mais de três anos. Jesus pacientemente os treinava.

O Mestre dos Mestres demonstrava que detinha o mais elevado conhecimento de psicologia. Conhecia o processo de transformação da personalidade. Nunca fez um milagre na personalidade humana, pois sabia que ela é um campo de reedição difícil de ser operacionalizado.

Ele criou conscientemente ambientes pedagógicos nas praias, nos montes, nas sinagogas para produzir ricas experiências que pudessem se sobrepor às zonas doentias do inconsciente dos discípulos. Creio que ele realizou o maior treinamento para transformação da personalidade de todos os tempos.

Ao analisar a personalidade de Jesus Cristo sob o olhar da ciência, fiquei assombrado. Tive a convicção de que a ciência foi tímida e omissa por nunca ter investigado a sua inteligência. Por isso ele foi banido das universidades, excluído da formação dos psicólogos, educadores, sociólogos, psiquiatras. Foi um prejuízo enorme. As sociedades ocidentais tornaram-se cristãs somente no nome.

Jesus Cristo programou, como um microcirurgião que disseca pequenos vasos e nervos, situações e ambientes para treinar e transformar os discípulos. Cada parábola, cada gesto diante dos marginalizados que o procuravam e cada atitude perante uma situação de perseguição eram laboratórios onde se realizava esse treinamento.

Ele provou que em qualquer época da vida podemos mudar os pilares centrais que estruturam a nossa personalidade. Seus laboratórios eram uma universidade viva. Seu objetivo era expor espontaneamente as mazelas do inconsciente. As fragilidades apareciam, as ambições afloravam, a arrogância vinha à tona, a insensatez surgia.

Seus laboratórios aceleravam o processo de tratamento psiquiátrico e psicoterapêutico. Depois de anos de análise detalhada é que fui entender o processo usado pelo Mestre dos Mestres.

Todos os seus comportamentos tinham um alvo imperceptível aos olhos. Quando era gentil com uma prostituta, ele tratava o preconceito dos discípulos. Quando era ousado em situações de risco, ele tratava a insegurança deles.

Reconstruindo o ser humano

Vamos analisar uma das mais belas passagens de sua vida. Horas antes de ser preso, ele teve na última ceia um conjunto de atitudes capazes de deixar perplexa a psiquiatria e a psicologia. A última ceia é mundialmente famosa, mas pouquíssimo conhecida sob o ângulo científico.

Como estava para morrer, ele teria que ensinar rapidamente as mais belas lições de inteligência, como a arte da solidariedade, a capacidade de se colocar no lugar do outro, o respeito pela vida. Teoricamente precisaria de anos para realizar essa tarefa pedagógica.

Então, sem dizer qualquer palavra, o Mestre pegou uma bacia de água e uma toalha e começou a lavar os pés daqueles discípulos que lhe deram tanta dor de cabeça. É simplesmente inacreditável sua atitude.

Jesus estava no auge da fama. Multidões queriam vê-lo. Os discípulos o colocavam num patamar infinitamente mais alto do que o do imperador Tibério César que governava Roma. De repente, ele abdica da mais alta posição, se prostra diante dos jovens galileus e começa a extirpar a sujeira dos seus pés. Eles ficaram paralisados, chocados, estarrecidos. Eles se entreolhavam com um nó na garganta. Não sabiam o que dizer.

Enquanto as gotas de água escorriam por seus pés, um rio emocional percorria os bastidores da mente deles irrigando os becos da inteligência. O Mestre dos Mestres conquistava o inconquistável: penetrava nos solos inconscientes, reescrevendo as janelas da intolerância, da disputa predatória, da inveja, do ciúme, da vaidade.

Foram dez ou vinte minutos que causaram mais efeitos do que décadas de bancos escolares ou anos de psicoterapia. A última ceia foi o maior laboratório de tratamento psíquico e enriquecimento da arte de pensar de que se tem notícia. Esta Terra produziu mentes brilhantes, mas nunca ninguém foi tão longe como Jesus Cristo. Ele foi o Mestre dos Mestres. Ele fez isso quando estava para ser torturado e morto. Quem é capaz de raciocinar no caos?

Após tomar esta atitude, ele disse que no seu reino as relações seriam completamente diferentes das que existem na sociedade. O maior não é aquele que domina, tem mais poder político ou financeiro, mas aquele que serve.

Para ele, somente aquele que abdica da autoridade é digno dela. Qualquer líder espiritual, político, social, que deseja que as pessoas gravitem em torno de si não é digno de ser um líder.

Os que usam o poder e o dinheiro para controlar os outros estão despreparados para possuí-los. Somente os que servem são dignos de estar no comando.

O Mestre da vida foi fiel às suas palavras, viveu o que discursou. Deu mais importância aos outros do que a si, mesmo diante da morte. Foi digno da mais alta autoridade, porque abdicou dela. O maior vendedor de sonhos foi o maior educador e o maior psicoterapeuta de todos os tempos.

Nunca alguém tão grande se fez tão pequeno para tornar grandes os pequenos. Se as religiões e a ciência descobrissem a grandeza da sua inteligência, as sociedades nunca mais seriam as mesmas (Cury, 2001).

Apostando tudo o que tinha nos que o frustravam

Após sair da última ceia, os discípulos decepcionaram seu Mestre ao máximo. Ele estava para ser preso e aguardava a escolta. Pela primeira vez pediu algo a eles. Solicitou que estivessem com ele naquele momento angustiante. Mas os discípulos, estressados por vê-lo suando sangue e sofrendo, dormiram.

Judas chegou com a escolta. Traiu o Mestre com um beijo. Em vez de ser dominado pela frustração e ódio, Jesus gerenciou seus pensamentos, relaxou sua emoção e olhou com gentileza para seu traidor. O espantoso é que a análise psicológica revela que Jesus não tinha medo de ser traído por Judas; tinha medo de perder Judas, de perder um amigo.

Ele disse: "Com um beijo me trais." Queria dizer: "Você tem certeza de que é isso o que deseja? Pense antes de reagir." Judas ficou perturbado, saiu de cena, não esperava essa resposta.

O Mestre dos Mestres não desistiu dele, queria reconquistá--lo, levá-lo a usar seu dramático erro para crescer. Queria que Judas não fosse controlado pela culpa e pela autopunição nem desistisse de sua vida. Infelizmente Judas não ouviu a voz suave, sábia e afetiva de seu Mestre. Jamais uma pessoa traída amou tanto um traidor!

Horas depois de preso, Pedro golpeou-o três vezes negando veementemente que o conhecia. Pedro amava o Mestre profundamente, mas estava no cárcere da emoção. Não raciocinava. Jesus não exigiu nada dele. Ainda o estava treinando. No momento em que ele o nega pela última vez, o Mestre vira-se para ele e diz: "Eu o compreendo!"

Você já disse para alguém que errou muito com você "eu o compreendo"? Somos muitas vezes carrascos das pessoas que erram, até dos nossos filhos e alunos, mas o maior vendedor de sonhos jamais desistiu dos jovens que escolheu. Os jovens também são implacáveis e agressivos com os erros dos seus pais. Falta compreensão na espécie humana e sobra punição.

Pedro saiu de cena e pôs-se a chorar. Nesse momento ele deu um salto na sua vida. O seu erro foi transformado num pilar de crescimento, e não em objeto de punição, como nas provas escolares das sociedades modernas. Neste livro ainda irei discorrer sobre a crise da educação e a destruição de sonhos.

Apesar dos inúmeros defeitos dos discípulos, duas qualidades os coroavam. Eles tinham disposição para explorar o novo e sede de aprender. Bastava isso para o Mestre, pois ele acreditava que a pedra bruta seria lapidada ao longo da vida. Sabia que seu projeto levaria tempo para ser implantado, mesmo depois que fechasse os olhos.

Não se importava com os acidentes de percurso. Confiava nas sementes que plantara. Acreditava que elas germinariam na terra da timidez, nos solos da insegurança, nas planícies rochosas da intolerância. Por fim, seus discípulos se tornaram uma equipe excelente de pensadores. Analise as cartas de Pedro que estão no Novo Testamento. Elas são um tratado de psicologia social. Errou muito, mas cresceu demais.

Jesus Cristo investiu sua inteligência em pessoas complicadíssimas para mostrar que todo ser humano tem esperança. As pessoas mais difíceis com quem você convive têm esperança. A história de Jesus é um exemplo magnífico. Demonstra que as pessoas que mais nos dão dor de cabeça hoje podem vir a ser as que mais nos darão alegrias no futuro. O que fazer?

Invista nelas! Não seja um manual de regras e críticas! Surpreenda-as! Cative-as! Ensine-as a pensar! Compreenda-as! Plante sementes!

Vendendo sonhos até a última gota de sangue

Ninguém espera uma reação inteligente de uma pessoa torturada, ainda mais pregada numa cruz. A memória é bloqueada; o raciocínio abortado; o instinto, controlado; o medo e a raiva dominam. Jesus foi surpreendente quando estava livre, mas foi incomparavelmente mais surpreendente quando foi crucificado.

Na primeira hora da crucificação, ele abriu as janelas da inteligência e bradou: "Pai, perdoa-os, pois eles não sabem o que fazem." Perdoou homens indesculpáveis. Compreendeu atitudes incompreensíveis. Incluiu pessoas dignas de completa rejeição.

Um dos ladrões ao seu lado ouviu essa frase e ficou assombrado. A dor lhe cortara o raciocínio, seus olhos estavam turvos, seus pulmões ofegantes. Mas, ao ouvir o brado de Jesus, recebeu um golpe de lucidez.

Seus olhos se abriram. Virou o rosto e viu por trás do corpo magro e mutilado de Jesus uma pessoa encantadora. Pouco tempo depois, ainda que sem forças, o criminoso pediu-lhe: "Quando estiveres no teu reino, lembra-te de mim."

Os gestos de Jesus o fizeram sonhar com um reino acima dos limites do tempo, um reino complacente e que transcendia a morte. Que homem é esse que mesmo dilacerado era capaz de inspirar um miserável a sonhar?

Os que estavam aos pés da cruz ficaram fascinados. Reações fascinantes como essas ocorreram durante as seis longas horas da crucificação. Foi a primeira vez na história que alguém sangrando, esmagado pela dor física e emocional, surpreendeu os que estavam livres.

Quando Jesus deu o último suspiro, o chefe da guarda romana, encarregado de cumprir a sentença condenatória de Pilatos, disse: "Verdadeiramente este era o filho de Deus." Enxergou além dos parênteses do tempo. Viu a sabedoria ser transmitida por um mutilado na cruz.

Muitos políticos e intelectuais não conseguem influenciar as pessoas com suas ideias, ainda que estejam livres para debater o que pensam. Mas o Mestre dos Mestres abalou os alicerces da ciência ao levar as pessoas a velejarem pelo mundo dos sonhos enquanto todas as suas células morriam.

Agostinho, Francisco de Assis, Tomás de Aquino, Spinosa, Hegel, Abraham Lincoln, Martin Luther King e milhares de pessoas de diferentes religiões, inclusive não cristãs, foram influenciadas por ele. Ouviram a voz inaudível dos seus sonhos.

Se Freud, Karl Marx, Jean-Paul Sartre tivessem a oportunidade de analisar profundamente a personalidade de Jesus como eu o fiz, provavelmente não estariam entre os maiores ateus que pisaram nesta Terra, mas entre os que mais se deixariam cativar por seus magníficos sonhos.

Maomé chamou Jesus de Sua Dignidade no Alcorão, exaltando-o mais do que a si mesmo. O budismo, embora seja anterior a Cristo, incorporou seus principais ensinamentos. Sri Ramakrishna, um dos maiores líderes espirituais da Índia, confessou que a partir de 1874 foi profundamente influenciado pelos ensinamentos de Jesus Cristo. O território consciente e inconsciente de Gandhi também foi trabalhado por seus pensamentos.

O Mestre dos Mestres nunca pressionou ninguém a segui-lo, apenas convidava. Não andou mais do que trezentos quilômetros a partir do lugar em que nascera. Não tinha uma escolta, não possuía uma equipe de marketing, nunca derramou uma gota de sangue. Sua pequena comitiva se constituía de um grupo de apenas 12 jovens de personalidade difícil. Mas hoje, para nossa surpresa, bilhões de pessoas de todas as religiões, de todas as culturas, de todos os níveis intelectuais o seguem.

Seguem alguém que não conheceram. Seguem alguém que nunca viram. Seguem alguém que lhes inspirou emoção e encheu suas vidas de sonhos.

— *Capítulo 2* —

UM SONHADOR QUE COLECIONAVA DERROTAS

Prepare-se para conhecer a trajetória fantástica de um sonhador que extraiu coragem dos seus fracassos, sabedoria das suas frustrações e sensibilidade das suas perdas. No final, ao saber o nome do personagem, você vai ficar absolutamente surpreso.

A.L. era um jovem simples, filho de lavradores. Não teve privilégios sociais, não viveu em palácio, raramente ganhava presentes. Mas tinha uma característica dos vencedores: reclamava pouco. Nada melhor para fracassar na vida do que reclamar muito. Não sobra energia para criar oportunidades.

Desde a juventude A.L. conheceu as dificuldades da existência. Perdeu a mãe aos 9 anos. O sabor amargo e cruel da solidão penetrou nos becos da sua emoção. O mundo desabou sobre ele. Perder a mãe na infância é perder o solo onde caminhar. É o último estágio da dor de uma criança.

Um ser humano pode ser rico mesmo sem dinheiro se tem ao seu lado pessoas que o amam; mas pode ser miserável ainda que milionário se a solidão é sua companheira.

Nosso jovem poderia ser controlado pela perda, mas sobreviveu. Havia algo nele digno de elogiar: sua capacidade enorme de viajar. Viajava muito. Transportava-se para lugares longínquos e de difíceis acessos. Mas como viajava, se não tinha dinheiro? Viajava pelo mundo dos livros.

O mundo dos livros dá asas à inteligência. Quem os descobre voa mais longe. Certa vez, por não ter recursos financeiros, A.L. ousou pedir aos vizinhos e aos amigos livros emprestados. Ficava um pouco inibido, mas não tinha medo de ouvir um não. Tinha medo de não aprender. Amou cedo a sabedoria. *Você ama a sabedoria?*

Construiu secretamente um tesouro enterrado no seu intelecto. Era comum por fora, mas um sonhador por dentro. Os maiores tesouros estão ocultos aos olhos. Pensava na vida enquanto muitos só pensavam nos prazeres momentâneos.

Era possível vê-lo parado com um olhar vago. Parecia estar em outro mundo. Estava no mundo das ideias. As necessidades e sofrimentos desde a sua mais tenra infância, em vez de ceifar-lhe a criatividade, produziram sonhos.

Certa vez ele teve um belo projeto: "Vou montar um negócio..." Sonhava em ganhar dinheiro, ter prestígio social e conquistar uma vida tranquila. Um bom sonho. Sentiu-se como um poeta, inspirado e destemido. Nos sonhos tudo parece fácil, não há acidentes. Mas todo sonho traz alguns pesadelos. O resultado do negócio?

FALÊNCIA.

O jovem enfrentou o drama da derrota muito cedo. Alguns, ante um fracasso, bloqueiam a inteligência. Eles registram o fracasso intensamente nos solos do inconsciente, através do fenômeno chamado RAM, registro automático da memória (Cury, 1998).

O mecanismo é o seguinte: o fracasso é lido continuamente, gerando reações emocionais dolorosas e ideias negativas que obstruem a liberdade de pensar, de fazer novos planos, de acreditar no próprio potencial. A derrota não superada esmaga os sonhos e dilacera a coragem.

Aprendendo a não ser controlado pelos fracassos

Você já enfrentou a dor de uma derrota? A.L. viveu-a e ficou abalado, mas não se submeteu ao controle dela. Assumiu-a, enfrentou-a e enxergou-a por outros ângulos. Seu enfrentamento impediu que o fenômeno RAM gerasse um conflito, uma área doentia da memória, uma janela de tensão.

Ele levantou a cabeça e voltou a sonhar. Saltou do mundo dos negócios para o mundo da política. Mas era ingênuo, não conhecia os enigmas desse terreno. Candidatou-se a um cargo. Estava muito animado, queria ser um político diferente. Teve muitas inspirações. Sentia que poderia ser um grande homem. O resultado das urnas?

FOI DERROTADO!

"Não é possível!", exclamava. "O que fiz de errado?" Muitas perguntas, muitas respostas, mas nenhuma apaziguava a sua emoção. A razão tenta se preparar para as derrotas, mas a emoção nunca se submete a elas.

No dia seguinte, o "eu" do nosso jovem, que representa sua capacidade de decidir, controlar seu mundo, ser consciente de si mesmo, estava abatido. Não tinha ânimo para conversar com ninguém.

Olhar os vencedores desse pleito detonava um fenômeno inconsciente que atua em milésimos de segundo, chamado gatilho da memória ou fenômeno da autochecagem. Esse gatilho abria uma janela da memória que continha a experiência do fracasso nas urnas e, desse modo, checava a sua condição de derrotado. A consequência?

Um mecanismo súbito de ansiedade desenhava-se no cerne

da sua mente. Pensamentos e emoções angustiantes avolumavam-se, gerando nó na garganta, boca seca, taquicardia. Parecia que seu cérebro o estava avisando de que ele corria perigo e precisava fugir. Fugir do quê?

Do vexame, da vergonha social, enfim, dos traumas construídos nos bastidores da sua mente. Quantas vezes os estímulos externos detonam o gatilho da memória que libera nossos monstros? Há pessoas que não suportam uma crítica e ficam dominadas pela raiva.

Apesar de desanimado, A.L. não se deixou vencer. Todos os sonhadores são inimigos da rotina. Quando eles pensam em desistir de tudo, os sonhos surgem no teatro da mente e começam novamente a instigá-los. Assim ocorreu com nosso jovem. Ele voltou-se novamente para o mundo dos negócios.

Dessa vez apostou que ia dar certo. Tomou certas precauções. Estava mais aberto às experiências dos outros. Conversou mais, refletiu mais. Fez uma pequena análise dos erros que deveria evitar e de quanto ganharia. Foi tomado por intensa euforia.

A emoção é bela e crédula, bastam alguns respingos de esperança para que o humor se restabeleça e a garra retorne. Nunca devemos retirar a esperança de um ser humano, mesmo de um paciente portador de câncer em fase terminal ou de um paciente dependente químico por décadas. A esperança é o fôlego da vida, o nutriente essencial da emoção. *Como você alimenta a esperança?*

A.L. andava sorrindo, acreditava na vida. Então, depois de despender energia para organizar sua pequena empresa e trabalhar muito, veio o resultado.

FALIU NOVAMENTE.

Ele ficou profundamente abatido. Seu "eu" não governava seus pensamentos. Pensava muito e sem qualidade. Este é um grande problema. O excesso de pensamentos é o grande carrasco da qualidade de vida do ser humano (Cury, 2002). Ele conspira contra a tranquilidade, rouba energia do córtex cerebral, gera uma fadiga descomunal, como se tivéssemos saído de uma guerra. Cuidado! Quem pensa muito se atormenta demais. Os pensamentos derrotistas de A.L. não apenas alimentavam sua insegurança, seu sentimento de incapacidade e ansiedade, como, ainda pior, eram acumulados como entulhos no delicado solo de sua memória. Os que não sabem cuidar desse solo não veem dias felizes. Muitos detestam o lixo do escritório, mas não se importam com o lixo acumulado no território da sua emoção.

O fenômeno RAM registrou sua falência de maneira privilegiada. Por isso, A.L. não gostava de tocar no assunto, pois, quando tocava, o gatilho da memória abria imediatamente as janelas que financiavam o humor triste. Muitas vezes não gostamos de tocar em nossas feridas. Elas não são sanadas, apenas escondidas.

Mas A.L. não as escondeu. Procurou superá-las resgatando sua vocação política. Candidatou-se novamente. Depois de muita labuta veio enfim a bonança. Conseguiu ser eleito deputado.

Parecia que os ventos mudavam. Sua emoção encontrou a primavera.

Golpes inevitáveis

Mas a alegria de A.L. logo se dissipou no calor das suas perdas. No ano seguinte sofreu uma perda irreparável. Sua noiva morreu. Sua mãe havia morrido cedo, e agora nunca mais veria o rosto da mulher que amava.

A perda roubou-lhe não apenas a alegria, mas produziu algumas janelas *killers* na sua memória. *Killer* quer dizer "assassino(a)". Janelas *killers* são zonas de conflitos intensos cravadas no inconsciente que bloqueiam o prazer e a inteligência.

Quando entramos nessas janelas reagimos como animais, sem pensar. Elas são construídas através de perdas dramáticas, frustrações intensas, angústias indecifráveis que não são superadas.

Quando uma pessoa possui síndrome do pânico, ao entrar em sua janela *killer* ela tem a sensação súbita de que vai morrer ou desmaiar, mesmo estando na plenitude da saúde. Quando uma pessoa tem fobia de falar em público, ao entrar em sua janela *killer* ela trava sua inteligência, não consegue encontrar os arquivos da sua memória que sustentam seu raciocínio, não coordena suas ideias.

Quando um pai, mãe ou professor entra em uma janela *killer*, ele pode reagir agressivamente diante de um pequeno erro de seu filho ou aluno. Sua reação é desproporcional ao estímulo externo, causando sérias consequências para sua personalidade. Uma ofensa pode marcar uma vida.

Quando crianças fazem birra e adolescentes entram em crise diante de um não, estão sob o controle dessas janelas. Na minha opinião, como psiquiatra ou como pesquisador científico, creio que todo ser humano desenvolve janelas que obstruem nossa lucidez nos focos de tensão: jovens, adultos, executivos, cientistas, iletrados. Uns mais, outros menos.

Todas as vezes que perdemos o controle de nossas reações somos vítimas dessas janelas, agimos por instinto e não como *Homo sapiens*. Sábio é quem tem coragem de identificar suas loucuras e procura superá-las. Não esconde sua irracionalidade, trata-a. Muitos impulsivos ferem durante a vida toda seus íntimos porque nunca assumiram sua ansiedade. Somos ótimos para nos esconder.

Quando A.L. entrava nas janelas que aprisionavam sua inteligência, ele produzia uma avalanche de ideias negativas que financiavam sua angústia. Os espinhos cresceram nos jardins do seu inconsciente e floriram no território da sua emoção.

O resultado? No ano seguinte teve uma crise depressiva. Alguns, por perdas menores, se deprimem por anos; outros enterram seus sonhos para sempre. A.L. estava deprimido, mas se distinguia da maioria das pessoas. Sabia que tinha dois caminhos a seguir. Ou suas perdas o construíam ou o destruíam.

Que escolha você faria? É fácil dizer que seria a primeira, mas frequentemente escolhemos a segunda opção. As perdas nos destroem e nos abatem. A.L. treinou sua emoção e escolheu a primeira alternativa. Em vez de se colocar como vítima do mundo, resgatou a liderança do "eu". Saiu da própria miséria. Agradeceu a Deus pela vida e pelas perdas. Fez delas uma oportunidade para compreender as limitações da existência e crescer.

Ele não tinha conhecimento da psicologia moderna, dos complexos papéis da memória, mas tinha ousadia para enfrentar seu cárcere interior. Todos nós construímos cárceres usando como grades invisíveis a cobrança excessiva, a autopunição, o desespero. Muitos pensam que seu cárcere é um chefe insensato, um concurso competitivo, as doenças físicas, as crises financeiras. Mas nossos cárceres reais estão alojados na psique. Se formos livres por dentro, nada nos aprisionará por fora.

A.L. não sabia que as janelas doentias do inconsciente não podem ser deletadas ou apagadas. Não tinha consciência de que elas só podem ser reeditadas através de novas experiências registradas no mesmo lócus onde se encontram.

Também não tinha consciência de que podemos construir janelas paralelas discutindo nossos medos, enfrentando nossa insegurança, criticando nossa agressividade ou nossa timidez. Não sabia que essas janelas paralelas poderiam se abrir ao mesmo tempo que as janelas *killers,* oxigenando a capacidade de pensar. Embora não tivesse conhecimento científico do funcionamento da mente, ele atuou intuitivamente dentro de si como se soubesse.

Quando achava que a vida não tinha mais sentido, debatia essa postura derrotista. Quando tinha um pensamento negativo, não se submetia a ele, como a maioria das pessoas. Criticava-o seriamente. Não era escravo dos pensamentos perturbadores. Você é escravo desses pensamentos? Quantas pessoas excelentes não vivem essa escravidão?

Atendi, certa vez, uma jovem profundamente triste. Ela estava atormentada por pensamentos contra Deus. Não conseguia interrompê-los. Pedi para deixar de ser passiva, criticar tais pensamentos e não submeter sua emoção a eles. Libertou-se.

Muitas pessoas se angustiam e até pensam em suicídio porque detestam seu corpo, pensam em acidentes, doenças, perdas de pessoas queridas, perda de emprego, acham que vão falhar nas provas. Precisamos sair da plateia, entrar no palco da nossa mente e nos tornar atores ou atrizes principais da nossa inteligência. Quem aprender essa lição entenderá um dos pilares deste livro.

A.L. construía uma fornalha íntima no seu inverno emocional. Exercitava seu "eu" diariamente para ser líder. Tornou-se um artesão da sua emoção. Tornou-se um amigo da vida e um amigo de Deus.

Ergueu-se das cinzas

Aos poucos voltou o encanto pela existência. Desejou ser útil à sua sociedade, porque não via outro sentido para a vida. Sob a chama desse ímpeto, candidatou-se a deputado federal. Preparou-se para uma grande vitória. Sorriu, andou, discutiu mais os problemas sociais. Então, veio o resultado.

FOI DERROTADO.

Sua alma ficou apertada. Sentia-se sufocado. Olhava para os lados, achando que as pessoas comentavam seu fracasso. A sociedade é rápida para bajular os que estão no pódio e lenta para apoiar os derrotados.

Cuidado! Se você depender muito dos outros para executar seus sonhos, corre o risco de ser um frustrado na vida. Os jovens precisam estar alertas. Eles são exigentes para consumir, mas não sabem construir seu futuro, são frágeis e dependentes.

Alguns achavam que o sonho de A.L. era um mero entusiasmo. Mas ele se reergueu. Seus sonhos eram sólidos demais para fazê-lo ficar submerso nos escombros dos seus fracassos. Alguns anos mais tarde o sonho de ser um grande político renasceu. Candidatou-se novamente.

Fez uma campanha com segurança e ousadia. Gastou saliva e sola de sapatos como ninguém. Pensou: "Desta vez serei um vencedor." Estava animadíssimo. Após uma extenuante campanha, veio o resultado.

PERDEU DE NOVO.

Foi um desastre emocional. Ao vê-lo passar, as pessoas meneavam a cabeça. Os mais próximos diziam: "Pare de sofrer! Faça outra coisa!" Muitos jamais entrariam numa outra disputa. Mas quem controla o sonho de um idealista? Eles são os mais teimosos do mundo. Uma dose de teimosia é fundamental para ser realizado na vida. Todos os sonhadores foram persistentes, amaram a disputa.

Nos países desenvolvidos, como EUA, Japão, Inglaterra, Alemanha, há uma crise na formação de pensadores e de líderes idealistas. Por quê? Porque os jovens não têm grandes desafios para enfrentar, não têm obstáculos para superar, crises para vencer. Por terem poucos desafios, sonham menos e têm menos compromisso social.

Se eliminarmos o contato de uma pessoa com todos os tipos de vírus, um dia, quando ela se expuser ao mais banal deles, poderá não sobreviver. Não é isso que temos feito com nossos jovens?

A.L. teve de enfrentar a humilhação das derrotas, os deboches dos amigos, o sentimento de incapacidade. Tudo isso feriu sua psique, mas educou a emoção para suportar crises e perdas. Adquiriu anticorpos intelectuais. Um bom profissional se prepara para os sucessos, um excelente se prepara para o fracasso.

Em seu livro *O príncipe,* Maquiavel comentou que as atitudes revelam oportunidades que a passividade teria deixado escondidas. A história nos ensina que as pessoas passivas sucumbem às suas desculpas e submetem-se aos seus temores.

Os sonhos são o melhor remédio para curar frustrações. Se sólidos, eles podem ter mais eficácia do que anos de psicoterapia. Eles reeditam o filme do inconsciente e ampliam os horizontes do desanimado, fazendo renascer a motivação para recomeçar tudo de novo.

Nosso sonhador emergiu do caos. Ninguém acreditava, mas A.L. decidiu enfrentar mais uma campanha para o Congresso. Nunca se viu tanta garra. As injustiças sociais e a discordância das desigualdades humanas geravam nele uma fonte inexplicável de energia para correr riscos. Agora havia mais fé e mais experiência. Corrigiu os erros de outras campanhas e tornou-se mais sociável. Finalmente veio o resultado.

PERDEU MAIS UMA VEZ.

Nos dias que se seguiram, A.L. afundou no pântano do seu pessimismo. Sentia-se arrasado, dilacerado, impotente. Perguntava-se inúmeras vezes: "Onde eu falhei? Por que as pessoas não confiam em mim?" Não se concentrava no mundo concreto. Havia momentos em que queria fugir do mundo. Entretanto, quem pode fugir de si mesmo?

Quando as pessoas o viam, elas comentavam à meia-voz umas com as outras: "Lá vai o Senhor Fracasso." Havia amargado diversas derrotas eleitorais, falências e perdas. Sua coleção de fracassos era mais do que suficiente para fazê-lo vítima do medo. Por muito menos, pessoas ilustres escondem a cabeça debaixo do travesseiro.

Ele deveria também se colocar como vítima do que os outros pensavam e falavam a seu respeito. Se muitos perdem noites de sono por um olhar atravessado, uma injustiça, uma censura, imagine como estava o território da emoção desse sonhador.

A sociedade é ótima para exaltar os que têm sucesso e rápida para zombar dos fracassados. Quem almeja ter uma personalidade saudável não deve esquecer essa lei: *não espere muito dos outros.*

Todos entenderiam se ele desistisse das suas metas. Era o mais recomendável. Vencer parecia um fenômeno inalcançável. Entretanto, quando todos esperavam que ele não se erguesse mais, A.L. se levantou das cinzas. Não era propenso a aceitar ideias sem passá-las pelo filtro da sua crítica.

Mostrou, assim, uma coragem poética, embriagada de sensibilidade. Para muitos sua coragem era ilógica, para ele era o combustível que mantinha acesa a chama dos seus sonhos.

Ele apareceu na roda dos políticos e, para espanto da plateia, teve a coragem de se candidatar para o Senado. As derrotas, em vez de destruir sua autoestima, realçavam seu projeto.

A campanha foi diferente. Sua voz estava vibrante. Deixou de ser refém de algo que facilmente nos aprisiona: nosso passado. Acreditou que romperia a corrente de fracassos e que o sucesso beijaria os solos da sua história.

Mas não queria o sucesso pelo sucesso. Não era um político dominado pela coroa da vaidade. Os que amam a vaidade são indignos da vitória. Os que amam o poder são indignos dele. Ter sucesso para estar acima dos outros é mais insano do que as alucinações de um psicótico.

A.L. tinha uma ambição legítima. Ele queria o sucesso para ajudar o ser humano. Queria fazer justiça para os que viviam no vale das misérias físicas e emocionais. Sonhava com o dia em que todos fossem tratados com dignidade na sua sociedade.

Após extenuante campanha, em que expôs inflamado suas ideias, aguardou impacientemente o resultado. Não podia perder dessa vez. Se isso acontecesse, até seus adversários teriam compaixão dele. Então, veio o resultado.

PERDEU OUTRA VEZ.

Ao chegar em casa, sentou-se numa cadeira, não sentindo o próprio corpo. Era difícil acreditar em mais esse vexame público. Sua memória se tornou árida como um deserto. Faltavam flores no palco da sua mente e sobravam pensamentos pessimistas. Qualquer psiquiatra e psicólogo clínico, por menos experiência que tivesse, entenderia seu medo do futuro. O amanhã tornou-se um pesadelo.

Uma coragem incomum

Muitos jovens, quando vão mal numa prova, entram em crise. Outros, quando são traídos pelas namoradas ou namorados, choram como crianças. Alguns adultos, quando não cumprem suas metas no trabalho, ficam insones. Outros, quando são abandonados pelo parceiro ou parceira, se acham os últimos dos seres humanos. As perdas deveriam nutrir o "eu" para fazê-lo mais forte e não submisso, mas frequentemente não é isso o que acontece.

O caso de A.L. era mais grave. Não dava para exigir grandes atitudes de um colecionador de perdas. As opiniões se dividiam em relação a ele. Algumas pessoas supersticiosas acreditavam que ele estava programado para ser derrotado. Outras, fatalistas, acreditavam que seus fracassos eram decorrentes de seu destino previamente traçado. Para elas, uns nasceram para o sucesso, outros para o fracasso.

Entre as supersticiosas e as fatalistas havia unanimidade: todas concordavam que ele deveria se conformar com seus fracassos, mudar de cidade, de país, de emprego. O conformismo, em psicologia, chama-se *psicoadaptação*.

O fenômeno da psicoadaptação é a incapacidade da emoção humana de reagir na mesma intensidade frente à exposição do mesmo estímulo. Quando nos expomos repetidamente a estímulos que nos excitam negativa ou positivamente, com o tempo perdemos a intensidade da reação emocional. Enfim, nos psicoadaptamos a eles.

Nós nos psicoadaptamos ao celular, ao carro, ao tipo de roupa, à decoração de nossa casa, aos conceitos, aos paradigmas sociais. Assim, perdemos o prazer e procuramos inconscientemente novos estímulos, novos objetos, novas ideias. Só conseguimos voltar a ter prazer se reciclamos nossa capacidade de observar e valorizamos detalhes não contemplados.

No aspecto positivo, a psicoadaptação gera uma revolução criativa. Nos estimula a procurar o novo, amar o desconhecido. Ela é um dos grandes fenômenos psicológicos inconscientes responsáveis pelas mudanças nos movimentos literários, na pintura, na arquitetura e até na ciência.

Todavia, quando a psicoadaptação é exagerada, ela gera insatisfação crônica e consumismo. Nada agrada prolongadamente. As conquistas geram um prazer rápido e fugaz. Aqui está uma das maiores armadilhas da emoção. Por isso, não é saudável que os pais deem muitos presentes para os filhos. Eles se psicoadaptam ao excesso de brinquedos. O resultado é maléfico! Consomem cada vez mais coisas, mas obtêm cada vez menos prazer.

Outra grande armadilha da emoção é a psicoadaptação às violências sociais, aos ataques terroristas, à competição no trabalho, às brigas conjugais, aos fracassos profissionais, a depressão, pânico, ansiedade. A consequência? Perdemos a capacidade de reagir. Nesse caso, o *Homo sapiens* se torna um espectador passivo de suas misérias. Este é um assunto para vários livros. Espero que o leitor perceba que nossa espécie está adoecendo coletivamente.

Muitos psicólogos e cientistas sociais, por não compreenderem esse processo inconsciente, não entendem que com o tempo os problemas psíquicos e sociais deixam de excitar a emoção. Esse processo nos algema, destrói a capacidade de lutar pelo que amamos. Há pessoas que arrastam sua depressão, timidez e insegurança a vida toda por causa disso.

Será que você não está se psicoadaptando à falta de diálogo na família, à dificuldade de conquistar um aluno difícil ou um colega de trabalho complicado?

Muitos soldados alemães perderam a sensibilidade à medida que se submetiam à propaganda nazista e observavam passivamente os judeus morrendo nos campos de concentração. As consequências da psicoadaptação são inúmeras e extremamente complexas.

A.L. tinha tudo para se psicoadaptar aos seus fracassos. Poderia se colocar como um supersticioso, achar que era um desafortunado, sem sorte. Mas ele considerava que a verdadeira sorte não é gratuita, mas a que se constrói com labuta.

Poderia ainda se posicionar como um fatalista, culpar o destino e achar que estava programado para ser infeliz. Neste caso, não teria forças para sair do seu caos. Mas não se psicoadaptou, não abdicou do seu direito de decidir seu destino, de fazer escolhas. *Você tem tomado as decisões que julga necessárias?*

Ele vivia o conteúdo de uma frase que todos os grandes pensadores vivenciaram: "Os perdedores veem a tempestade, os vencedores veem por trás das densas nuvens os raios de sol."

Ele estava ferido, mas não vencido. Estava abatido, mas não destruído. Estava mutilado, mas almejava correr a maratona. Sua coragem era quase surreal, beirava o inacreditável, mas trazia--lhe saúde psíquica.

Suas flagrantes derrotas, em vez de se tornarem um pesadelo, tornaram-se um romance pela vida. As suas crises de ansiedade tornaram-se como ondas que se debruçavam sobre a praia da sua história e produziam marcas de maturidade. Tornou-se um ser humano de raríssimo valor. Encontrou grandeza na sua pequenez. *Você tem encontrado grandeza na sua pequenez?*

Nosso sonhador não pintava quadros, mas desenhava pensamentos. Não esculpia madeira, mas esculpia ideias animadoras. Era um artista da vida. Alguns amigos recomendavam que ele se aquietasse, tivesse pena de si, não corresse mais riscos. "Tudo tem limite", diziam. Em alguns momentos precisamos mostrar uma coragem extraordinária.

Quando lhe pediam silêncio, de repente ele gritou mais alto. Sonhou em concorrer à vice-presidência do seu país. Vice--presidência? Um ultraje! Porém, ele tinha algumas das cinco características dos grandes gênios:

1 - Era persistente na busca de seus interesses;
2 - Animava-se diante dos desafios;
3 - Tinha facilidade para propor ideias;
4 - Tinha enorme capacidade de influenciar pessoas;
5 - Não dependia do retorno dos outros para seguir seu caminho.

Quem dera a educação moderna ensinasse menos matemática, física, química, biologia, e mais a arte de pensar. Nossos alunos teriam algumas dessas nobilíssimas características da inteligência. O mundo seria menos engessado.

Através de seu magnetismo, A.L. entrou nessa nova campanha. Já que não estava na linha de frente, estaria mais protegido, faria uma campanha mais segura, menos tensa. Como vice-presidente estava mais preservado. Mas teria que propor seu nome na convenção.

No dia da votação sua ansiedade aumentou. Começaram a contar os votos da convenção. Não demorou muito para sair o resultado.

RECEBEU UMA FLAGRANTE DERROTA.

Foi preterido. Muitos pensaram que ele certamente contagiaria com seu derrotismo o candidato à presidência. A verdade crua a respeito daquele homem era que ele se tornara um dos maiores colecionadores de fracassos da história. Raramente alguém tentara tanto e raramente alguém perdera tanto.

Os amigos se afastaram. As pessoas não esperavam mais nada dele. As janelas *killers* produziam o cárcere da emoção. Sua autoestima estava quase zerada, seu encanto pela vida, combalido. O pessimismo o envolveu. Começou a crer que uns nasceram para a vitória e outros para o fracasso, uns para o palco e outros para a plateia.

O que você faria depois de tantos fracassos? O que você faria se fosse abandonado pelas pessoas mais próximas? Que atitude tomaria se fosse despedido do emprego em que colocou todo o seu futuro? Que reações teria se atravessasse uma crise financeira tão grave que não tivesse nem dinheiro para pagar o aluguel da casa? Qual seria sua postura se fosse criticado publicamente e as pessoas ao seu redor desacreditassem completamente de você? Muitos simplesmente desistiriam dos seus sonhos.

Um escultor de ideias, um artista da vida

A.L. tornou-se o "Senhor Fracasso". Grande parte das pessoas acreditava que o "Senhor Fracasso" não apareceria mais em público, muito menos na roda de políticos e partidários.

De repente, entrou na sede do partido um homem de cabelos grisalhos, de pele seca e desidratada e com as marcas do tempo impressas no rosto. As pessoas avistaram-no, mas não acreditaram no que viram. Esfregaram os olhos para enxergar melhor. "Não era possível, mas era ele mesmo."

Sua presença causou espanto e reflexões. "Ali não era lugar para os perdedores, mas para os vencedores", pensavam alguns. Outros imaginaram que A.L. estivesse lá para assinar uma carta pública anunciando que abandonaria para sempre seus sonhos. Outros ainda conjecturavam que ele estava ali para suplicar um emprego público.

Para surpresa de todos, o derrotado arrancou calafrios dos seus colegas ao manifestar o desejo de candidatar-se novamente para o Senado. "Candidatar-se para o Senado!" "Uma atitude absurda!" "Acorde!" "Olhe para seu passado e mude de direção!"

Há uma grande diferença entre o individualismo e a individualidade. O individualismo é uma característica doentia da personalidade, ancorada na incapacidade de aprender com os outros, na carência de solidariedade, no desejo de atender em primeiro, segundo e terceiro lugar aos próprios interesses. Em último lugar ficam as necessidades dos outros.

A individualidade, por sua vez, é ancorada na segurança, na determinação, na capacidade de escolha. É, portanto, uma característica muito saudável da personalidade. Infelizmente, desenvolvemos frequentemente o individualismo, e não a individualidade.

A.L. desenvolveu uma individualidade madura. Ele queria dirigir seu barco, mesmo diante das turbulências. Não era radical.

Não era agressivo. Não era egocêntrico. Era apenas um sonhador. Queria simplesmente ser fiel àquilo em que acreditava.

Alguns têm sucesso, mas não são fiéis à sua consciência. Conseguem altas somas de dinheiro de maneira escusa. Brilham diante dos holofotes, mas por dentro são opacos. Quem não é fiel à sua consciência tem uma dívida impagável consigo mesmo.

Apesar do péssimo currículo das suas derrotas, nosso sonhador fez uma campanha primorosa para o Senado. Estava determinado a vencer. Nas ruas, as pessoas gritavam "derrotado"; nas praças, "perdedor". Mas ele olhava para dentro de si e procurava forças no mundo intangível dos seus sonhos.

Para A.L., cada disputa era um momento mágico. Estar na disputa era mais importante do que o pódio. Os que valorizam o pódio mais do que a disputa não são dignos de subir nele. Ele acreditava que a vida era uma eterna conquista que possui ganhos e perdas. Nos sucessos tomamos o cálice da alegria, nas ruínas bebemos o cálice das experiências. Desta vez esperava tomar o cálice da alegria.

Finalmente chegou o dia da votação. Aguardou com expectativa incomum o resultado das urnas. Desta vez tinha de ser diferente.

FOI NOVAMENTE DERROTADO.

Não tinha o que falar. As lágrimas deixaram o anonimato e escorreram pelas vielas do seu rosto. Escondia a face, mas chorou muito. Era um ser humano apaixonado pela sua sociedade, mas não tinha uma oportunidade de ajudá-la.

As janelas *killers* deveriam estar assassinando sua capacidade de pensar, dilacerando sua coragem, dissipando seu ânimo e produzindo uma reação íntima que atestava que ele era o mais infeliz dos homens.

Parecia que desta vez A.L. se entregaria, chegara ao limite. Faria qualquer coisa, menos se candidatar a qualquer cargo –

nem para o clube dos fracassados. Seria controlado pelo fantasma do medo e pelo monstro da derrota.

Só o silêncio poderia conter sua indecifrável frustração.

O orvalho almejando ser a chuva de verão: a grande lição

Algumas pessoas apostavam que ele se exilaria numa zona rural ou em alguma ilha. Outras, menos cruéis, acreditavam que ele poderia vir a ser, com muita dignidade, dirigente de um asilo ou de um lar de crianças.

Havia quem pensasse que ele deveria trabalhar numa repartição pública, fazendo tarefas repetitivas e esperando o magro salário do final do mês sem reclamar e reivindicar melhores condições. Um dia se aposentaria e viveria calado a humilhante condição de não conseguir pagar suas contas com a baixa pensão recebida.

Embora a sociedade o considerasse um representante típico da espécie dos fracassados, do ponto de vista psicológico nosso sonhador foi um grande vencedor, ainda que não tivesse vencido nenhum pleito eleitoral. Foi um vencedor do preconceito, da discriminação, do deboche social, das suas inseguranças.

As pessoas superficiais veem os resultados positivos como parâmetros do sucesso, enquanto que a psicologia avalia o sucesso usando como critérios a motivação, a criatividade e a resistência intelectual. Diferente da maioria das pessoas, ele lutou pelos seus sonhos até a última gota de energia. A.L. foi vitorioso.

Schopenhauer afirmava que jamais deveríamos fundamentar nossa felicidade pela cabeça dos outros (Durant, 1996). A.L. seguiu esse princípio, pois se gravitasse em torno da opinião dos que o cercavam estaria condenado ao ostracismo, ao completo isolamento social. Os piadistas o usavam como personagem principal das suas ironias.

Diante do tumulto social, ele entrou no único lugar protegido do mundo: dentro de seu próprio ser. Lá ele se calou e fez a oração dos sábios: o silêncio. *Você conhece a força dessa oração?*

―

Nos momentos mais tensos da sua vida, em vez de reagir, procure a voz do silêncio. Psiquiatras, psicólogos, intelectuais, generais, enfim, qualquer ser humano que não ouve essa voz obstrui sua inteligência, tem atitudes absurdas, fere quem mais merece seu carinho.

Devemos gravar isso: nos primeiros trinta segundos de tensão cometemos os maiores erros de nossas vidas. Nos focos de tensão bloqueamos a memória e reagimos sem pensar, por instinto. Neste caso, o *Homo bios* (animal) prevalece sobre o *Homo sapiens* (pensante).

Ninguém imaginava que A.L. novamente apareceria em cena. A última derrota parecia ter sepultado seus sonhos. Entretanto, quando todos pensaram que ele tivesse sido derrotado por suas decepções e se acomodado na posição de um astro sem luz própria, ele surgiu novamente no meio político.

Os presentes ficaram paralisados. "Não é possível!", "O que ele está fazendo aqui?", indagavam.

Rapidamente alguns pensaram que ele estivesse lá para trabalhar na campanha de um outro candidato. Talvez tivesse escrito um manual de campanha para que os demais candidatos fizessem tudo ao contrário do que ele fizera. A plateia ficou muda.

Então, fitando os olhos em seus velhos parceiros, ele teve a audácia de dizer: "Quero me candidatar a presidente!" Todos ficaram perplexos.

Para Dostoiévski, "dar o primeiro passo, proferir uma nova palavra é o que as pessoas mais temem". A.L. deu mais um grande passo, tomou mais uma nova atitude, e, ao vencer seus temores, deixou os outros temerosos. A reação de A.L. fez com que o medo da derrota se dissipasse da sua psique e passasse a ser um problema dos outros.

Quando usamos as palavras para compreender as raízes do medo e enfrentar seus tentáculos, o medo é reeditado, pois novas experiências são acrescentadas nas janelas da memória onde ele se encontra. O medo se torna nutriente da coragem. "O quê? Isto é insano!", pensavam. E continuavam: "Pode a árvore mutilada desejar os mais excelentes frutos? Pode um acidentado e politraumatizado correr em igualdade de condições e ambicionar o pódio nas olimpíadas? Podem as diminutas gotas de orvalho almejar a força das chuvas de verão?"

Candidatar-se à presidência do seu país parecia loucura, e não sonho. Mas, quando nos deixamos conduzir pelos sonhos, podemos reescrever nossa história e construir janelas inconscientes que arejam nossa emoção. A alma de A.L. era controlada por seus sonhos. As montanhas se tornam pedras diminutas, e os vales, pequenas depressões. Sonhou em governar seu país, alcançar a igualdade entre os homens, fazer justiça social.

Estava desacreditado. Muitos meneavam a cabeça e sorriam descrentes. Mas A.L. se levantou do caos. Estava decidido, queria mais uma chance. Parecia incansável. Sua persistência deixava os resistentes confusos, e com seus sonhos ele contagiava seus parceiros.

Seu desejo de se candidatar foi materializado. Visitou pessoas, deu palestras, fez reuniões de trabalho, falou ao coração psíquico das pessoas. O pleito era dificílimo. As dificuldades, dantescas. Ele limpava o suor do rosto e continuava correndo atrás do seu projeto de vida. Parecia que delirava em terra seca. Ninguém via os raios de sol, mas ele vislumbrava a fulgurante aurora por detrás das montanhas.

Terminada a eleição, começou a apuração. A.L. estava muito ansioso. Quando não se consegue administrar a ansiedade que asfixia a emoção, ela é canalizada para o córtex cerebral, gerando sintomas psicossomáticos. Seu coração estava acelerado; seus pulmões, ofegantes.

A pressão sanguínea aumentou. Suava muito. Seu cérebro o preparava para fugir. Fugir do quê? Do monstro da derrota. Como fugir se ele estava registrado na colcha de retalhos da sua memória?

Ele sabia que não podia ouvir a voz do seu corpo comandada pelo cérebro. Tinha de ouvir a voz da sua inteligência, custasse o que custasse, fosse a que preço fosse. Para muitos, ele estava prestes mais uma vez a acrescentar um fracasso ao seu extenso currículo. Finalmente chegou o resultado:

ELEITO O 16º PRESIDENTE DOS ESTADOS UNIDOS DA AMÉRICA DO NORTE.

A.L. não apenas foi eleito como se tornou um dos políticos mais importantes da história moderna. Seu nome? ABRAHAM LINCOLN. Foi o presidente que emancipou os escravos do seu país, foi um dos grandes poetas da democracia moderna e dos direitos humanos.

Abraham Lincoln foi um dos maiores sonhadores de todos os tempos. Teve todos os motivos para abandonar seus sonhos, mas, apesar de todas as crises e das incontáveis frustrações, jamais desistiu deles.

"O homem que se vinga quando vence não é digno da sua vitória", pensava o afiado escritor Voltaire. Abraham Lincoln venceu, mas não se vingou dos que a ele se opunham. Ele apenas zombou do próprio medo, transformou a insegurança em ousadia, a humilhação em lágrimas que lapidaram sua personalidade, as lágrimas em gemas preciosas no território da emoção.

Sonhos que nunca morrem

Em 1842, Abraham Lincoln se casou com Mary Todd, uma mulher inteligente, ambiciosa e de princípios sólidos. Assim, o velho ditado "Atrás de um grande homem há sempre uma grande mulher" precisa ser corrigido para "Ao lado de um grande homem existe sempre uma grande mulher".

As mulheres sempre dominaram o coração dos homens. Hoje, elas estão indo mais longe. Estão dominando o mundo porque são mais perseverantes, sensíveis, éticas, afetivas. Por isso, estão exercendo melhores cargos profissionais, ocupando cargos que antes eram exclusividade dos homens e dirigindo um maior número de empresas.

As "Mary Todd" estão contagiando as sociedades modernas. Espero que elas não se tornem máquinas de trabalhar, como os homens da atualidade, para nunca perderem sua sensibilidade e jamais deixarem de sonhar como muitos deles.

Mary Todd influenciou a trajetória de Abraham Lincoln, deu-lhe sustentáculo em momentos difíceis. Infelizmente, uma tragédia ocorreu no início de seu segundo mandato.

Em 14 de abril de 1865, Lincoln estava no Teatro Ford, em Washington. Tranquilo, velejava pelas águas da emoção enquanto assistia ao espetáculo. Não imaginava que nunca mais veria as cortinas de um teatro se abrirem, pois fecharia os olhos para o espetáculo da vida.

Um ex-ator, que era um escravista radical, caminhou sutilmente até onde estava o presidente e o atingiu com um tiro de pistola na nuca. Uma bala penetrou-lhe o corpo, destruiu-lhe a medula, rompeu suas artérias. No outro dia ele morreria pela manhã antes de o orvalho da primavera se despedir ao calor do sol.

Morreu um sonhador, mas não seus sonhos. Seus sonhos se

tornaram sementes nos solos de milhões de negros e de brancos que o amavam, influenciando todo o mundo ocidental.

Abraham Lincoln fez a diferença no mundo. Nunca desistiu dos seus sonhos porque viveu um dos diamantes da psicologia: o destino não está programado nem é inevitável. *O destino é uma questão de escolha.*

Abraham Lincoln e 11 de setembro de 2001

A história desse mestre da vida que interpretei com doses de ficção pode colocar combustível na mente de todas as pessoas que sonham. Pode incendiar os ânimos da sociedade norte-americana que depois de 11 de setembro de 2001 deixou de sonhar, ficou aprisionada pelo medo, pelas janelas *killers* do terror, pela imprevisibilidade do amanhã.

Vi americanos bem idosos sendo revistados e escaneados detalhadamente nos aeroportos de Chicago e Nova York. Todos são suspeitos. Não vale o que somos, mas o que conseguimos provar que não somos.

O clima tenso dos aeroportos, o controle desesperador dos passageiros, a expectativa de um novo ataque tornaram-se fontes de estímulos estressantes que estão sendo registrados no inconsciente coletivo dos americanos, europeus e israelenses, causando um desastre psíquico sem precedentes na história.

Não apenas 11 de setembro, mas também o consumismo, a competição social, a paranoia da estética, a crise do diálogo têm sufocado a vida de milhões de jovens e adultos em todos os países do mundo.

A sociedade moderna tornou-se psicótica, uma fábrica de loucura. Infelizmente, do jeito que as coisas caminham, investir na indústria de antidepressivos e tranquilizantes parece ser a melhor opção no século XXI.

Se você acorda cansado, tem dores de cabeça, está ansioso, sofre por antecipação, sofre dores musculares, não se concentra, tem déficit de memória ou outros sintomas, saiba que você é normal, pois nos dias de hoje raramente alguém não está estressado. Raramente alguém não possui algum transtorno psíquico ou sintomas psicossomáticos.

Os adultos estão se tornando máquinas de trabalhar, e as crianças, máquinas de consumir. Estamos perdendo a singeleza, a ingenuidade e a leveza do ser. A educação, embora esteja numa crise sem precedente, é a nossa grande esperança.

Se os sonhos de Abraham Lincoln invadissem o inconsciente coletivo dos americanos, os EUA teriam outra imagem diante do mundo. Não apenas seriam a nação mais poderosa economicamente do planeta, mas também a mais forte na defesa da paz, da integração das sociedades e da preservação do meio ambiente.

O sentimento antiamericano crescente se evaporaria. Os EUA seriam reconhecidos não apenas como templo econômico, mas também como templo da sabedoria. Mas onde está a sabedoria na era da informação?

Abraham Lincoln queria libertar os escravos porque encontrou a liberdade em seu interior. Ele desenvolveu saúde psíquica e expandiu a sabedoria nos acidentes da vida e nos campos das derrotas. Quem valoriza as dificuldades e os fracassos numa sociedade que apregoa a paranoia do sucesso?

O mago da economia americana, Alan Greenspan, que se tornou presidente do Banco Central dos EUA nos governos Reagan, George Bush, Bill Clinton, George W. Bush, teve a ousadia de dizer que os imigrantes latinos são mais empreendedores do que a média dos americanos e por isso têm mais possibilidade de progresso. Por quê?

Porque eles têm de enfrentar mais dificuldades do que os

americanos nativos. A observação de Greenspan tem respaldo na teoria psicológica.

Os baixos salários, as pressões sociais e o excesso de carga de trabalho geram um volume de desafios que recicla o fenômeno da psicoadaptação, gerando uma revolução criativa que produz sonhos de superação, que estimula o resgate da liderança do "eu", que alavanca a construção consciente e inconsciente da audácia, da determinação e da perspicácia.

Em trinta ou quarenta anos, grande parte da economia dos EUA provavelmente estará nas mãos dos descendentes dos latinos e dos demais imigrantes que lutam arduamente para sobreviver na América.

Precisamos sonhar o sonho de liberdade de Abraham Lincoln. Ele enfrentou o mundo por causa dos seus sonhos. Desenvolveu amplas áreas da inteligência multifocal – pensar antes de reagir, expor e não impor suas ideias, colocar-se no lugar dos outros, ter espírito empreendedor, ser um construtor de oportunidades, ter ousadia para reeditar seus conflitos. Por tudo isso, ele se tornou autor da sua própria história.

— *Capítulo 3* —

O SONHO DE UM PACIFISTA QUE ENFRENTOU O MUNDO

A história de um observador

M.L.K. era uma criança observadora. Amava a liberdade. Corria pelas ruas como se nada pudesse contê-lo ou feri-lo. Seus sonhos construíam asas em seu imaginário, que alçava voo em busca da fonte do prazer.

Todos buscam essa fonte, mas as dificuldades da vida e as dores emocionais são os fenômenos mais democráticos da existência. Elas conspiram contra a tranquilidade e ninguém escapa delas, sejam ricos ou pobres, intelectuais ou iletrados, adultos e crianças. Onde estão as pessoas que passaram ilesas por traumas psíquicos?

Não faz muito tempo, um dos meus pacientes chorava desconsoladamente querendo sair de sua crise depressiva e desejando resgatar seu filho que também estava deprimido. Esse homem tinha seis mil funcionários em sua empresa, mas disse-me que daria tudo o que alcançou, todos os seus bens, em troca de superar sua dor e viver dias felizes. De fato tais dias não podem ser comprados, têm de ser construídos.

A inocência de M.L.K. cedo seria abalada. Ele não imaginava que atravessaria o vale das frustrações e que seus problemas se tornariam tão volumosos que tentariam esmagar as asas da sua liberdade, encerrando-o num dramático cárcere.

Desde a mais tenra infância, sua sensibilidade fazia com que qualquer rejeição tivesse um impacto muito grande nos bastidores da sua mente. Podia suportar broncas, mas as reações de desprezo causavam-lhe grande impacto emocional. Infelizmente, elas permearam os principais capítulos da sua vida.

M.L.K. ia além da fina camada da cor da sua pele negra e não entendia por que os brancos se diferenciavam dos negros. Podem as cores zombar uma da outra e uma delas dizer "eu sou superior"? Pode a embalagem reivindicar o direito de ser mais importante do que o conteúdo? Para ele, brancos e negros tinham os mesmos sentimentos, a mesma capacidade de pensar, a mesma necessidade de ter amigos, de ser amados e de superar a solidão.

Ao repousar sua cabeça no travesseiro, o jovem M.L.K. viajava no mundo de suas ideias e questionava: por que os negros não podiam frequentar as mesmas escolas, os mesmos clubes, os mesmos bancos das igrejas, o mesmo transporte público que os brancos? Por que não podiam ter amigos brancos e abraçá-los? Não somos todos seres humanos?

Nosso jovem conheceu de perto a indecifrável dor da humilhação. Nada esmaga tanto a autoestima. Quando um adolescente branco virava-lhe o rosto, machucava-lhe a alma. Quando davam risadas irônicas, ele penetrava nas grutas geladas da agonia.

Por terem alta carga de tensão emocional, todas essas experiências eram registradas de maneira privilegiada pelo fenômeno RAM nos solos da sua memória consciente e inconsciente. Tornou-se adulto precocemente.

Quando por algum estímulo exterior ou interior ele lia essas janelas, pensamentos negativos e emoções tensas invadiam o teatro da sua mente, roubando-lhe a cena, dissipando sua motivação e seu encanto pela vida.

Nada pior do que isto. Estava destinado a ser um jovem ansioso e revoltado. Como a maioria das pessoas incompreendidas e emocionalmente tolhidas, era de se esperar que M.L.K. se tornasse servo dos seus traumas emocionais.

Somando-se às suas dificuldades, aos 12 anos M.L.K. perdeu sua querida avó. Os vínculos eram fortes. O sentimento de perda abateu-o drasticamente. O menino não conseguia raciocinar. Perdeu o prazer de viver, chorava desconsolado, destilava tristeza. Sentia-se inseguro e desprotegido.

Sua crise foi tão grave que pensou em desistir da vida. Descontrolado, jogou-se do primeiro andar de sua casa. Como toda pessoa que pensa em suicídio, na realidade ele queria matar sua dor e não exterminar a vida. Felizmente sobreviveu.

Três anos mais tarde fez várias viagens. Ao conhecer cidades longínquas, percebeu o denso clima de violência racial. Os brancos ameaçavam os negros. Os negros que frequentavam lugares dos brancos eram punidos. Não podiam subir nos ônibus.

Esses comportamentos perturbavam o adolescente. "Por quê?", "Qual o fundamento dessa rejeição?", "Não somos todos irmãos?", pensava. Muitas perguntas, mas nenhuma resposta o saciava.

Controlado por grandes sonhos

Nosso jovem assistia impassível à discriminação de seu povo. Resolveu fazer Faculdade de Teologia, navegar pelo mundo espiritual para encontrar respostas para o injusto mundo social.

Penetrou no sonho de Deus, que nunca fez discriminação de pessoas, nunca distinguiu nobres de miseráveis, reis de súditos, lúcidos de loucos. Foi contagiado pelo sonho dos direitos humanos, do respeito pela vida.

Nessa trajetória interior conheceu intimamente a história do Mestre dos Mestres. A humanidade de Jesus Cristo influenciou a humanidade do jovem M.L.K.

Viu nele o modelo mais excelente de alguém que combatia toda forma de discriminação. Ao ler sobre Jesus, M.L.K. ficava impressionado com sua coragem de correr riscos para proteger as prostitutas e de quebrar as algemas da solidão dos miseráveis da sua sociedade. Os sonhos do Mestre dos Mestres colocaram combustível nos sonhos desse jovem, ampliando sua arte de pensar e sua determinação.

Posteriormente, resolveu fazer um passeio pela filosofia, tão importante mas tão abandonada no mundo lógico e imediatista. Após receber o diploma na Faculdade de Teologia, inscreveu-se imediatamente no curso de filosofia. Entrou em contato com as ideias de Hegel. Penetrou no pensamento do ilustre pensador alemão. Aprendeu a não calar a sua voz.

Queria ser livre para pensar, pois acreditava que só uma mente livre é capaz de gerar pessoas livres (Cury, 2004). Entendeu que os ditadores escravizam porque são escravos dos seus conflitos, e os autoritários dominam porque são dominados pelas áreas doentias da sua personalidade. Quem controla a liberdade dos outros nunca foi livre dentro de si mesmo.

Era um jovem promissor, podia seguir seu próprio caminho, seus próprios interesses. Porém, preferiu dar seu tempo e sua inteligência para transformar a história dos outros.

Quando nossos sonhos incluem os outros, quando procuram de alguma forma contribuir para o bem da humanidade, eles suportam mais facilmente os temores da vida. Quando temos sonhos individualistas, eles são tímidos, não resistem aos acidentes do caminho.

Enriquecer por enriquecer não tem sentido. Ganhar dinheiro só tem sentido se for para promover muito mais do que nosso conforto, se for usado para ajudar os outros, aumentar a oferta de empregos, contribuir socialmente.

Ter status pelo status é superficial. Ter sucesso pelo sucesso é uma estupidez intelectual. Mas ter sucesso para aliviar o sofrimento dos outros é um perfume para a inteligência. Nada é tão poético quanto investir na qualidade de vida das pessoas. *Você tem feito esse investimento?*

Por desejar servir aos outros, M.L.K. se colocava no lugar deles e percebia suas necessidades intrínsecas, das quais a maior era manter acesa a chama da esperança. Queria alimentar a alma e o espírito das pessoas fazendo-as acreditar na vida. O olhar multifocal revela que ele não se psicoadaptou ao conformismo. Tinha a mais profunda convicção de que sem esperança seca-se a alegria de viver e o desejo de mudar.

Todas essas crenças fizeram com que o jovem sonhador aprendesse uma das mais profundas lições da psicologia: gerenciou seus pensamentos, transformou sua raiva em capacidade de lutar, sua indignação em ideais, seu sofrimento em sonhos. Tornou-se ator principal do teatro da sua mente.

Se não aprendesse essa lição, não sobreviveria. Enquanto muitos, ao atravessar turbulências, recuam, ele caminhava nas tempestades sem medo de se molhar. Tornou-se um pensador.

O eco das conquistas aumentou os riscos

Em seguida recebeu o diploma de Doutor em Filosofia. Tinha pouco mais de 25 anos, mas era arrojado, culto e determinado. Sonhava em mostrar aos desprezados que eles nunca deveriam se envergonhar de si mesmos, que nada é mais digno do que um ser humano.

Posteriormente participou intensamente do movimento em prol dos direitos civis. Foi o primeiro entre muitos movimentos. O clima era tenso. A qualquer momento poderia perder a vida. Mas não conseguia silenciar seus sonhos. Eles gritavam nos vales secretos onde nascem as emoções. O *que sonhos gritam dentro de você?*

"A suprema arte da guerra é derrotar o inimigo sem lutar", pensava Sun Tzu. M.L.K. queria vencer o inimigo da discriminação sem derramar uma gota de sangue. Era um guerreiro poeta. Começou a participar de passeatas e a fazer discursos inflamados sobre aquilo em que acreditava. Em seus discursos empunhava uma bandeira branca e invisível revelando que os fortes amam, os fracos odeiam; os fortes incluem, os fracos discriminam.

No ano seguinte, as ameaças se avolumaram. Sua casa sofreu um atentado a bomba, mas felizmente ele escapou. Queriam destruir um jovem que não oferecia perigo, a não ser o de contagiar as pessoas com sua sensibilidade e paixão pela vida. O fenômeno RAM registrou privilegiadamente na sua memória a violência desse ataque terrorista.

M.L.K. lia continuamente esse registro. O palco da sua mente virou um turbilhão de ideias tensas. Em alguns momentos sentiu calafrios ao se imaginar dilacerado pelo artefato. Esse mecanismo gerou algumas janelas fóbicas. O pavor o envolveu.

Diante disso, novamente o grande dilema dos sonhadores: dois caminhos se desenharam em sua mente. Ou ele enfrentava e superava as janelas fóbicas ou seria submisso a elas. Quando o medo está presente no anfiteatro da emoção, não há dois vencedores. Ou dominamos o medo ou o medo nos domina.

Aos olhos do mundo seria melhor que ele recuasse e esquecesse seus sonhos. Muitos em seu lugar os teriam enterrado. Alguns profissionais abortam sua inteligência diante do autoritarismo dos seus chefes. Alguns jovens sepultam sua criatividade antes de realizarem suas provas e participarem dos concursos. O medo enterrou milhões de sonhos ao longo da história da humanidade.

A vida é um jogo. Podemos perder em muitos momentos, mas não podemos admitir ficar no banco de reservas. M.L.K. analisou as causas da sua luta e as consequências de uma possível desistência. Assim, mesmo tombado, levantou-se. Reagiu como Beethoven, o gênio da música. Vamos conhecer um pouco da história desse grande compositor.

A surdez de Beethoven e seus sonhos

Nada é mais grave para um músico do que perder a audição. Beethoven, um dos gênios da música, perdeu-a depois de ter feito belas composições.

Os recursos médicos ineficazes o levaram a uma profunda crise psíquica. Seus pensamentos agitaram-se como ondas rebeldes, sua emoção tornou-se um céu sem estrelas. Não havia flores nos solos da vida. Perdeu o encanto pela existência. Deixar de ouvir e compor músicas era tirar o chão de Beethoven. Cogitou, assim, o suicídio.

Mas algo aconteceu. Quando todos pensavam que seus sonhos tinham sido sepultados pelo inquietante silêncio da surdez, surgiram sorrateiramente os mais espetaculares sonhos no árido solo da sua emoção. Ante sua condição miserável, ele decidiu superá-la.

Ou Beethoven se calaria diante da surdez ou lutaria contra ela e faria o que ninguém jamais fez: produzir músicas apesar de não ouvi-las. No entanto, apesar de surdo, ele aprendeu a ouvir o inaudível, aprendeu a ouvir com o coração. Não desistiu da vida; ao contrário, exaltou-a. Os sonhos venceram. O mundo ganhou.

Com indescritível sensibilidade, Beethoven compôs belíssimas músicas após a surdez. Entre outras atitudes, ouvia as vibrações das notas no solo.

A teoria da inteligência multifocal revela que as vibrações do solo produziam ecos na sua memória, abriam inúmeras janelas onde se encontravam antigas composições, que, por sua vez, eram reorganizadas, libertando sua criatividade e o fazendo compor novas e encantadoras músicas.

Quando no complexo teatro da mente humana há sonhos, os surdos podem ouvir melodias, os cegos podem ver cores, os abatidos podem encontrar força para continuar. Os sonhos têm o poder de nos levar a patamares impensáveis. Quem dera fôssemos todos sonhadores!

—

M.L.K. era o "Beethoven" dos direitos humanos. Ouvia os sons pungentes das vítimas da rejeição. Ouvia a dor represada nos recônditos dos que eram considerados indignos de ser livres. Ouvia mães chorando por saber que seus filhos não teriam futuro. Ouvia os idosos emitindo gemidos inconsoláveis pela humilhação pública. Ouvia os jovens barrados nas portas das escolas perguntando "por quê?".

Esses sons o impeliam para o epicentro do terremoto social. Estimulavam sua luta, mesmo quando estava no cárcere. Lutava por aquilo em que acreditava sem ferir os agressivos. Lutava como um poeta da sensibilidade.

Nas empresas, escolas, instituições, igrejas, sinagogas, mesquitas, precisamos de homens e mulheres que enxerguem além da imagem e ouçam além dos limites do som.

Um artesão da psique

Por ter uma percepção refinada da realidade, baseada nas suas paixões, desejos, personalidade (Chauí, 2000), M.L.K. saiu do caos, resolveu subir os penhascos íngremes da insegurança e dar uma guinada em sua vida. Seu comportamento surpreendeu a psiquiatria e a psicologia.

Apesar de não conhecer a teoria das janelas da memória e de não ter consciência de que a dor da rejeição estava contaminando o delicado solo do seu inconsciente, ele aprendeu pouco a pouco a atuar intuitivamente como seu próprio psicoterapeuta. Reescreveu a sua história.

Montaigne, o afiado pensador francês, séculos atrás dizia que "não há nada mais tolo do que sempre se conduzir em obediência a uma mesma disciplina". Por ser um sonhador, M.L.K. não viveria essa tolice, não seria engessado por seus comportamentos.

Fazia uma mesa-redonda para estabelecer um debate com seus conflitos e suas crises, e desse modo deixava de ser um servo dos seus traumas. Encontrou a verdadeira liberdade, a que se esconde no secreto do nosso ser.

Os grandes pensadores sempre foram exímios questionadores que usaram a arte da dúvida e da crítica para abrir o mundo das ideias. Infelizmente, num mundo tão rápido e ansioso, a educação tem desprezado a ferramenta da dúvida e da crítica, que são a agulha e a linha que tecem a inteligência. Vale a quantidade de informações, não a qualidade. Noventa por cento das informações são inúteis, nunca serão utilizadas nem sequer recordadas.

Nada é tão perigoso para aprisionar a inteligência quanto aceitar passivamente as informações. John Kennedy disse: "O conformismo é o carcereiro da liberdade, o inimigo do crescimento." Parece que milhões de jovens americanos esqueceram ou desconhecem seu ensinamento. Amam o conhecimento pronto e rápido. Ingerem o conhecimento como se fosse um hambúrguer.

O resultado da caminhada interior de M.L.K. o levou a aprender outras nobres funções da inteligência multifocal: expor sem medo suas ideias em vez de impô-las, ser líder de si mesmo antes de ser líder do mundo, pensar antes de reagir, reagir positivamente a elementos novos, ocupar seu tempo de forma produtiva e não ser escravo dos seus pensamentos negativos.

Segundo Gowan e Torrance (Alencar, 1986), essas características são propriedades dos gênios. Todavia, a genialidade mais profunda não é aquela que vem gratuitamente da herança genética, mas a confeccionada no armazém da inteligência ao longo da vida.

M.L.K. tornou-se um grande líder. Um excelente líder não é o que controla seus liderados, mas o que os estimula a fazer escolhas. Não é o que faz temer, mas o que faz crer. Não é o que produz pesadelos, mas o que faz sonhar.

Nosso jovem começava a liderar movimentos de massa. Os movimentos começavam a fazer eco social. Não passou muito tempo e veio um resultado comovente: o Supremo Tribunal do seu país aboliu, em dezembro de 1956, a segregação nos ônibus. Negros poderiam frequentar ônibus junto com os brancos.

No começo, os negros subiam nos ônibus desconfiados, apreensivos. Enquanto as rodas giravam e eles recebiam solavancos do veículo, muitos viajavam para dentro de si mesmos sentindo o gosto excelente da inclusão social. Não é preciso ter dinheiro, fama ou status social para ser rico. Quem é respeitado como ser humano possui o mundo.

Quantos portadores de AIDS não sofreram e ainda sofrem segregação? Quantos milhões de árabes são discriminados porque alguns terroristas são muçulmanos? Quantos imigrantes ilegais se sentem como escória social por não terem cidadania no país hospedeiro? Quantos usuários de drogas se sentem marcados com ferro em brasa como os animais no campo?

Foi uma vitória a suspensão da segregação nos transportes públicos. Porém, apenas um degrau na grande escada dos direitos humanos. Os sonhos continuaram e os perigos se multiplicaram. O jovem pacifista atravessaria glórias e vaias, ganhos e profundas perdas.

As sequelas das discriminações perpetuam-se por séculos

M.L.K. sabia que a discriminação causava feridas na personalidade do seu povo, mas, como não era um pesquisador da psicologia, não entendia até onde iam essas cicatrizes inconscientes. Se o povo soubesse, teria mais garra para lutar.

As experiências discriminatórias arquivam-se de maneira privilegiadíssima nos solos da memória, contaminando o inconsciente coletivo (Jung, 1998). Essas zonas de conflitos não apenas solapam uma geração, mas são transmitidas por duas, três ou mais gerações.

Como elas são transmitidas? Não pela carga genética, mas por um complexo aprendizado absorvido através dos gestos, das reações, dos olhares, das brincadeiras pejorativas, das desigualdades, das dificuldades de ascensão social.

Certos transtornos psíquicos, como a obsessão por doenças e por higiene, assim como pelo perfeccionismo, também são transmitidos na relação entre pais e filhos e demoram algumas gerações para ter remissão espontânea.

Quando os filhos assistem milhares de vezes a uma mãe ou a um pai preocupando-se excessivamente com doenças, tendo reações de desespero diante de uma pequena tosse ou febre, eles registram essas experiências, adquirem zonas de conflitos, constroem janelas doentias que são lidas diariamente, reproduzindo a obsessão dos pais.

Se não ocorrer uma intervenção consciente da própria pessoa modificando sua história, ou uma intervenção psicoterapêutica para tratar essas zonas de conflitos, somente os netos ou bisnetos terão chance de ficar livres dessa obsessão.

Cuidar da qualidade da imagem que transmitimos aos nossos filhos é cuidar da qualidade de vida deles. Se as doenças psíquicas são transmitidas culturalmente, imagine o quanto as doenças sociais como a violência e a discriminação também são transmitidas! Ao querer banir o terrorismo da face da Terra, George W. Bush multiplicou por dez a formação de jovens terroristas.

A crise social, a invasão do território, as mortes em combates geram experiências dramáticas no território da emoção. Arquivadas pelo fenômeno RAM, produzem janelas da memória com alto nível de tensão que, uma vez acionadas, bloqueiam a racionalidade do *Homo sapiens* e fomentam a agressividade. Como cientista que estuda esses fenômenos psíquicos, fico perplexo.

O terrorismo quebrou um tabu inimaginável de destrutividade. Gerou a "loucura consciente". As pessoas extravasam seu ódio matando-se para matar os outros. É o último grau de insanidade da nossa espécie. As imagens dos ataques terroristas são registradas no inconsciente de bilhões de pessoas, causando danos em diversos graus.

Não se debela o terrorismo com armas, mas com flores que exalam o perfume da compreensão. Precisamos compreender que nossa espécie está doente. Não se reedita o filme do inconsciente com reações agressivas, mas com diálogo. Afinal de contas, todos somos vítimas e réus, agressores e agredidos. A agressão gera janelas *killers* que financiam reações agressivas, fechando o ciclo fatal.

As estatísticas demonstram que os soldados israelitas estão desistindo da vida. Estão morrendo mais por suicídio do que em combate. A emoção não suporta essa sobrecarga de violência. Se esses jovens que deveriam estar se divertindo em festas estão se matando, imagine o que está acontecendo nos solos inconscientes das crianças.

As crianças judias e palestinas, inocentes nessa guerra de adultos, estão tendo seu futuro emocional destruído: perderão o encanto pela vida, terão ansiedade crônica, medo crônico do amanhã, humor triste. O terrorismo causa inúmeros estragos. Os de mais longo prazo são a formação de zonas de conflitos no inconsciente coletivo e a destruição dos sonhos de várias gerações.

Os jovens precisam criticar a violência do mundo para que a violência registrada neles seja diariamente reeditada. Eles precisam sonhar com o futuro. Não podem viver alienados, preocupados apenas com o prazer imediato. Precisamos proclamar nas escolas, nas igrejas, nos clubes, nas empresas que vale a pena viver a vida.

Precisamos sonhar com uma espécie mais feliz. Precisamos abraçar as pessoas diferentes. Precisamos dizer todos os dias que não somos americanos, brasileiros, judeus, árabes, *somos seres humanos*. Precisamos nos convencer, ainda que demore décadas, de que a vida é um espetáculo imperdível.

Abraham Lincoln havia libertado os escravos na Constituição. A discriminação fora resolvida na lei, mas não nas páginas do livro psíquico. Os gestos, as reações, a desigualdade continuavam, gerando milhões de estímulos que alimentaram a discriminação. As futuras gerações continuaram tendo cicatrizes. Cem anos depois, M.L.K. estava lutando contra suas sequelas.

Quando os professores de História ensinam sobre a escravidão, sobre o terrorismo, o nazismo, as guerras, fornecendo apenas informações, sem teatralizar suas aulas e fazer com que os alunos se coloquem no lugar dos que sofreram, eles não geram consciência crítica. Esse tipo de aula pode ser lesiva, pois leva à insensibilidade diante das atrocidades humanas.

Enquanto lutava contra os dramas do seu povo, M.L.K

lutava contra seu próprio drama, contra as sequelas da discriminação que estavam arquivadas em seu inconsciente e que atravessaram séculos.

Ele só realizaria seus sonhos se superasse as ideias negativas, vencesse a humilhação e se livrasse dos tentáculos da timidez e da baixa autoestima. Seus maiores inimigos estavam em seu interior, somente eles poderiam calar a sua voz.

Contagiando as pessoas com seus sonhos

Mais tarde, as pressões exercidas por M.L.K. conseguiram liberar aos negros o acesso aos lugares públicos. O sorriso voltou no rosto de muitos. Por onde entravam, eles olhavam fascinados o interior dos prédios, os objetos e móveis. Os brancos já não se encantavam mais com a estética dos objetos e dos edifícios, pois estavam psicoadaptados, mas os negros reagiam como crianças, descobrindo um mundo proibido.

Alguns negros idosos paravam diante dos quadros dos museus exclamando para si mesmos "como tudo é lindo", "como a nossa espécie é criativa". Pensaram por um momento que, se os pintores, os escultores e os poetas dominassem o mundo, haveria mais cores na sociedade.

Sentiam que raros são os políticos preparados para o poder. O poder os seduz, os faz fortes para receber aplausos, mas tímidos para atender às necessidades dos outros.

M.L.K. continuava sua luta. Os movimentos se expandiram e se tornaram incontroláveis. Dirigiu uma marcha com 250 mil pessoas e proferiu um discurso contando seu sonho de ver brancos e negros juntos. Dessa marcha resultaram a Lei dos Direitos Civis e a Lei dos Direitos de Voto.

Ele se comovia a cada conquista. Ficava extasiado ao ver as crianças correndo livremente pelas ruas atrás das libélulas.

Exigia pouco para ser feliz. Os que exigem muito são algozes de si mesmos.

Tempos depois, no lançamento de um de seus livros, *A caminho da liberdade,* um grave acidente ocorreu. Sofreu um atentado durante uma sessão de autógrafos. Uma mulher negra de meia-idade, com passagem por vários hospitais psiquiátricos, cravou um abridor de cartas em seu peito.

A dor era intensa. O sangue que fluía não era de um valente insensível, mas de um sonhador que amava a Deus e a humanidade. Levado às pressas para o hospital, sofreu uma cirurgia extremamente delicada, e sobreviveu.

Enquanto a dor lhe cortava a emoção, ele fazia a técnica do Stop Introspectivo: parou, se interiorizou e refletiu sobre sua vida e os eventos que a cercavam. Era difícil entender por que alguém da sua cor quisesse tirar-lhe a vida. Muitos sucumbem aos sinais externos, são dominados por maus presságios, mas este não era o caso de M.L.K.

A mulher que o feriu provavelmente projetou em M.L.K. seus fantasmas inconscientes, entre eles as sequelas da discriminação. Em sua paranoia, ela identificou M.L.K. com os personagens perturbadores dos seus delírios. Quando não matamos nossos monstros psíquicos, nós os projetamos em alguém ao nosso redor (Freud, 1969).

Ao recuperar-se, M.L.K. começou a participar de várias outras marchas de protesto e aos poucos foi somando novas conquistas. As manifestações tornaram-se comuns e os acidentes de percurso, também.

Subitamente é preso juntamente com estudantes universitários quando participava de um ato público. Na prisão, a escassa luz contrastava com luminárias advindas dos seus sonhos. Ele encostava sua cabeça nas grades, segurava com suas mãos as barras frias de ferro e viajava no mundo das ideias. Olhos úmidos formavam gotas de pérolas que percorriam os vincos do seu rosto. Estava inconformado.

No ano seguinte foi novamente para o cárcere. Enfrentou mais uma vez as planícies da solidão. Para muitos a solidão é uma companheira intolerável, mas para os sonhadores é um brinde à reflexão. Os que têm grandes projetos precisam de uma dose de solidão para elaborarem seus sonhos.

A juventude atual não suporta uma hora de solidão. Logo, os jovens desferem o grito "não tenho nada para fazer!". Não suportam a solidão porque não suportam a si mesmos. Não sabem libertar sua criatividade e nem contemplar o belo. *O que fizemos com nossos jovens?*

Eles não são culpados. O capitalismo selvagem os tem transformado em consumidores vorazes, com um apetite emocional insaciável. São vítimas da síndrome do pensamento acelerado. São ansiosos. A ansiedade é inimiga do silêncio. Se aprendessem a usar a solidão para se interiorizar, encontrariam a fonte da tranquilidade.

M.L.K. seguia o caminho inverso da juventude atual. Ele consumia ideias e poucos produtos, se embriagava com a solidariedade e não com o individualismo. Embora as ameaças aumentassem, sua audácia progredia. Era ator principal da sua história. Saiu da prisão mais forte.

Em seguida participou das grandes Jornadas pela Liberdade. O desejo pela liberdade é uma chama inapagável. Ele se aquieta sob o calor das ameaças, mas nunca perde o fôlego. A história tem exemplos eloquentes. Nenhuma ditadura sobreviveu. Peço desculpas por insistir: a única ditadura que está sobrevivendo é a ditadura do consumismo e da síndrome SPA. Ambas abalam a psicologia.

No ano seguinte, M.L.K. foi preso novamente. Embora estivesse com 34 anos, viveu uma sequência de pressões sociais e estímulos estressantes que muitos idosos não viveram.

Posteriormente, durante uma permanência de oito dias na prisão, ele escreveu a "Carta de uma Prisão em Birmingham", uma carta aberta a um grupo de sacerdotes brancos do Alabama. Ele queria o apoio de todos os brancos que diziam amar a Deus. Queria que esses líderes entrassem no sonho de Deus. Deus não tem cor, não tem raça, não discrimina, não rejeita, não faz distinção de pessoas. M.L.K. acreditava que a tolerância é a ferramenta dos inteligentes, e a solidariedade, a dos sábios. Ele vivia o riquíssimo pensamento de Agostinho: "Na essência somos iguais, nas diferenças nos respeitamos."

A desesperadora luta de M.L.K. pelos direitos humanos se tornava um perfume que contagiava poetas, estimulava pensadores, conquistava outras nações. Logo veio o reconhecimento. Recebeu o Prêmio Nobel da Paz.

Uma alegria arrebatadora o dominava. Ganhou mais força para lutar. O Prêmio Nobel da Paz é destinado aos gladiadores que usam o diálogo como instrumento de transformação do mundo.

Sua filosofia de "não violência" é baseada nos princípios do Mestre dos Mestres, na psicologia do perdão, na inclusão, no sólido amor ao próximo, na compreensão das causas que se escondem por detrás da cortina dos comportamentos. Sua filosofia é ainda baseada no pacifismo de Gandhi, que também recebeu forte influência de Jesus Cristo.

Esta é a história de MARTIN LUTHER KING.

Fechando os olhos para a vida

A emoção do Nobel foi grande, mas não o suficiente para cicatrizar suas feridas emocionais. Anos depois, pronuncia seu discurso "Além do Vietnã". Viaja dentro do seu país defendendo suas ideias.

Sua oratória alçava o voo do espírito humano, inspirava seus ouvintes, os transportava para os mais altos outeiros da sensibilidade. Depois de tantas batalhas, chegou o ano 1968. Pronunciou, no dia 3 de abril, um inflamado discurso. Foi vibrante, colocou toda a sua alma nele. Suas palavras oxigenaram os ofegantes que ansiavam pelo ar da fraternidade.

As pessoas o abraçavam prolongadamente. Não poucos choravam. M.L.K. acariciava os cabelos dos idosos e agradecia seus olhares dóceis. Dizia com gestos "vamos conseguir!".

Entretanto, no dia seguinte, algo trágico aconteceu. Abraham Lincoln havia sido assassinado por um radical, quase um século antes, por hastear a bandeira da liberdade. Agora chegara a vez de Martin Luther King fechar os olhos para esta vida pelo mesmo motivo.

Um atirador branco o assassinou em Memphis, no dia 4 de abril de 1968. Morreu pelos seus sonhos. Morreu um dos mais fascinantes personagens da história. A bala roçou-lhe os órgãos, destruiu tecidos, produziu hemorragia, mas não estancou seus sonhos.

Discursando sobre os sonhos

Martin Luther King morreu muito jovem, ao redor dos 40 anos. Não corria atrás de status, mídia, fama, glória, apenas perseguia aquilo em que acreditava. Seus discursos até hoje inspiram milhões de pessoas a lutarem pela igualdade e liberdade.

É um privilégio para mim registrar no livro *Nunca desista de seus sonhos* uma parte de um dos discursos mais belos proferidos por Luther King, cujo título é justamente "Eu tenho um sonho". Ele tem grande importância, pois foi proferido em 28 de agosto de 1963 para uma grande multidão justamente do alto do Memorial Lincoln, em Washington.

Sob a bandeira de Lincoln, Martin Luther King foi muito profundo e comovente. Discorreu sobre seu sonho de igualdade e de justiça, usando pensamentos lúcidos, temperados com sensibilidade e irrigados com lágrimas.

I HAVE A DREAM *(Eu tenho um sonho)*

Eu tenho um sonho no qual um dia esta nação se erguerá e viverá o verdadeiro significado do seu credo... que todos os homens são criados iguais...
Eu tenho um sonho de que algum dia, nas colinas vermelhas da Geórgia, os filhos dos escravos e os filhos dos senhores de escravos se sentarão juntos à mesa da fraternidade. Esta é a nossa esperança...
Eu tenho um sonho! Com esta Fé, eu volto para o Sul. Com esta Fé, arrancaremos da montanha da angústia um pedaço da esperança. Com esta Fé, poderemos trabalhar juntos, orar juntos, ir juntos à prisão, certos de que um dia seremos livres...
Quando deixarmos o sino da liberdade tocar em qualquer vilarejo ou aldeia de qualquer estado, de qualquer cidade, neste dia estaremos prontos para nos erguer. Todos os filhos de Deus, brancos ou negros, judeus ou gentios, protestantes ou católicos, estarão prontos para dar as mãos e cantar aquele velho hino dos escravos:
"Finalmente livres!
Finalmente livres!
Graças ao Deus Todo-Poderoso,
Nós somos finalmente livres."

— *Capítulo 4* —

UM SONHADOR QUE DESEJOU MUDAR OS FUNDAMENTOS DA CIÊNCIA E CONTRIBUIR COM A HUMANIDADE

A.C. teve uma infância difícil, mas divertida. Seus pais trabalhavam na lavoura quando adolescentes. Tiveram enormes dificuldades financeiras. De seu casamento nasceram seis filhos. Nos primeiros anos todos dormiam no mesmo quarto, numa pequeníssima casa.

Espaço apertado, coração grande, a casa de A.C. era uma bela confusão. Mas havia alegria na miséria, criatividade na escassez. As crianças faziam uma festa com quase nada. O prazer de viver sempre penetrou nas alamedas dos que exigem pouco para serem felizes. Os que exigem muito possuem um apetite psíquico insaciável.

Sua mãe era uma fonte de sensibilidade. Afetiva, dócil, amável, mas portadora de fobia social. Nunca saía de casa sozinha. Era incapaz de levantar a voz para alguém. Para conter a guerra que seus filhos realizavam, ela fazia as malas e ameaçava ir embora. Porém, tomava o caminho do quintal. Comovidas, as crianças pediam para ela voltar e se aquietavam naquele dia.

Quando A.C. tinha 5 anos seu canário morreu. Um parente próximo, querendo lhe ensinar o caminho da responsabilidade, disse que o canário tinha morrido de fome porque ele não o alimentara.

Essa frase aparentemente ingênua foi registrada de maneira superdimensionada nas camadas íntimas do inconsciente do menino, gerando uma janela com alto volume de tensão. A consequência?

Um grande sentimento de culpa. O fenômeno do Autofluxo, responsável por produzir milhares de pensamentos diários para nos distrair, gerar sonhos e prazeres, ancorava-se nessa janela doentia e a lia frequentemente. A.C. chorava escondido pensando na dor da fome do seu canário.

Pequenos gestos marcam uma vida. Palavras dóceis também podem ser cortantes. Não há pais que não errem tentando acertar. Quantos professores angustiam seus pequenos alunos com atitudes impensadas. Mas quem não fere quem ama? Somos culpados sem ter culpa.

A melhor atitude quando erramos é reconhecer o erro e pedir desculpas. Assim, ensinamos os pequenos também a errar e a se superar.

Para as crianças, pior do que crescer com conflitos é crescer na ausência completa deles, é crescer sem dificuldades, superprotegidas. Dessa forma, não adquirem defesas para sobreviver na sociedade estressante. Nunca a juventude de classe média e alta foi tão poupada, e nunca se tornou tão insatisfeita e ansiosa.

Por diversos motivos, A.C. cresceu hipersensível. Pequenos problemas causavam um impacto grande no território da sua emoção. Mas as dificuldades da vida, os atritos com os irmãos, as brincadeiras nas ruas estimularam sua personalidade. Tornou-se dinâmico, arrojado, impulsivo, criativo.

Sonhando com as estrelas

O jovem detestava a rotina dos estudos. Vivia distraído, desconcentrado, desconectado da realidade. As dificuldades iniciais dos seus pais contrastavam com a grandeza dos seus sonhos.

Seu pai tinha um problema cardíaco e desde cedo estimulou o filho a ser médico. Embarcando neste sonho, A.C. ambicionou ser não apenas médico, mas também cientista. Desejava descobrir coisas que ninguém pesquisara, desvendar enigmas ocultos aos olhos.

Era um sonho muito grande para quem considerava a escola o último lugar em que gostaria de estar. Sonhar sempre foi um fenômeno psíquico democrático. Os miseráveis podem sonhar mais do que os abastados, os psicóticos podem velejar mais do que os psiquiatras.

Para sonhar basta ser um viajante no mundo das ideias e percorrer as avenidas do seu ser. Quem não faz essa viagem, ainda que percorra os continentes, ficará paralisado na arte de pensar. O mundo dos sonhos sempre pertenceu aos viajantes. *Você é um deles?*

A.C. era famoso por comportamentos que fugiam ao trivial. Era sociável e afetivo, mas marcadamente irresponsável. Gostava de festas e poucos compromissos. Sabe quantos cadernos ele teve durante os dois primeiros anos do ensino médio? Nenhum!

Muitos dos seus colegas eram estudantes exemplares. Ele era um desastre. Raramente copiava a matéria dada em aula, a não ser quando, num caso extremo, pedia uma folha emprestada.

Não levava livros nem cadernos para a escola. Levava apenas a si mesmo e, ainda assim, estava lá apenas fisicamente. Seus professores eram ilustres, mas ele era um estranho no ninho. Não se adaptava ao sistema escolar.

Usava roupas bizarras, seus cabelos viviam revoltos. Tinha obsessões. Uma delas é que não gostava da própria testa, achava-a comprida demais. Vivia tentando encobri-la com mechas dos cabelos. Distraído com suas ideias e com suas manias, andando pela rua certa vez trombou com um poste. Ficou tonto, quase desmaiou.

Apesar de suas trapalhadas, era um jovem divertido. Tão divertido que, junto com um amigo, fazia serenatas de madrugada com seu violão. Só que nem ele nem o amigo sabiam tocá-lo. Resultado, o som era tão ruim que as moças nunca acendiam a luz do quarto para mostrar que os ouviam.

Quando dizia que queria ser médico, muitos davam risadas. Nem seus amigos mais íntimos acreditavam nele. Dizer que queria ser um cientista era uma heresia para quem não prestava atenção nas aulas. Não apostavam nele nem por compaixão. A.C. dava motivos para isso.

Seus pais continuavam sendo seus grandes incentivadores. Pai e mãe podem ser maravilhosos quando enxergam nos filhos o que ninguém consegue ver, quando apostam que eles têm ouro no coração apesar de só ser possível perceber o cascalho.

Chegou um momento em que A.C. parou de brincar com a vida. Resolveu levá-la a sério. Não queria ficar à sombra do pai. Queria construir sua própria história. Deixou as festas, as orgias, o convívio com amigos e resolveu ir atrás dos seus sonhos.

O velho ditado diz "pau que nasce torto morre torto". Aos olhos de muitos ele estava condenado a ser um fracassado. A.C., porém, não era um pedaço de pau, mas um ser humano que, como qualquer outro, possuía um grande potencial intelectual represado. Exercitou sua capacidade de pensar e escolheu seus caminhos.

Tinha grandes sonhos, o que lhe dava uma belíssima perna para caminhar. Agora precisava de outra perna, a disciplina. Teve que se disciplinar para transformar seus sonhos em realidade. Resolveu estudar seriamente. Pagou um preço caro, deixando muitas coisas para trás. Sacrificou horas de lazer.

Estudou mais de 12 horas por dia para entrar na faculdade de medicina. No começo tinha vertigem e sentia-se tonto, mas perseverava. Seus sonhos o animavam, refrigeravam seu cansaço.

Os mais íntimos estavam céticos, outros ficavam perplexos com sua disposição. Ou ele prosseguia ou se entregava. Era mais fácil entrar numa faculdade menos exigente. Todavia, desistir era uma palavra que não estava no dicionário de A.C.

Para alguns seu projeto era loucura, para ele era o ar que o oxigenava. Quando ninguém esperava nada dele, eclodiu na terra estéril. Entrou na faculdade de medicina.

Ele parecia um jovem alienado, mas no fundo sempre fora um questionador de tudo o que via e ouvia. Na faculdade de medicina não foi diferente. Não engolia as informações, procurava digeri-las. Às vezes tinha indigestão intelectual e arrumava alguns problemas por sua ousadia em pensar. Raramente aceitava uma ideia sem questionar seu conteúdo, ainda que não tivesse muitos elementos para julgá-la.

Sua memória não era privilegiada, mas tinha uma refinada capacidade de observação, um desejo ardente de fugir da mesmice e criar coisas originais. Era tão crítico que às vezes discordava de seus professores de psiquiatria e psicologia. Sua atitude era intrépida. O resultado?

Escrevia a matéria em seus cadernos de forma diferente da que era ensinada. Como pode um mero estudante discordar de cultos professores? Não dava para saber se era um teimoso, uma pessoa fora da realidade ou um amante da sabedoria. Talvez fosse uma mistura de tudo isso.

Pouco a pouco ele desenhou na sua personalidade três características que estão escasseando atualmente: a arte da crítica, coragem para pensar e ousadia para ser diferente.

O medo de pensar diferente tem engessado mentes brilhantes. Muitos profissionais, empresários, executivos, estudantes têm asfixiado suas ideias debaixo do manto da timidez e da insegurança. A inteligência sempre precisou do oxigênio da audácia para respirar.

Um acidente emocional

A.C. superava o estresse das provas e as dificuldades da vida com facilidade. Nada parecia abalá-lo exteriormente. Todavia, não conhecia as armadilhas da emoção, até que nas férias do segundo para o terceiro ano experimentou o último estágio da dor humana. Teve uma crise depressiva.

Depressão era a última coisa que as pessoas achavam que ele poderia ter. Era sociável, estruturado, seguro, destemido e apaixonado pela vida. Mas seus conflitos internos, os pensamentos perturbadores e a influência genética (sua mãe tivera depressão) o levaram ao caos emocional.

A carga genética não determina se uma pessoa terá ou não depressão. Apenas em alguns casos ela pode gerar uma sensibilidade emocional exagerada que faz com que pequenos problemas causem um impacto interior grande. Entretanto, a educação e a capacidade de superação do "eu" podem fazer com que pessoas hipersensíveis aprendam a se proteger. E, assim, evitar o risco de depressão.

A.C. não tinha aprendido a proteger sua emoção. Nem sabia que isso era possível. Deprimiu-se. Chorou sem lágrimas. Mas ninguém percebeu sua crise, ele a escondeu dos colegas e dos íntimos.

Como muitos, tinha medo de não ser compreendido, receio de ser excluído. Preferiu silenciar a dor que gritava no território da emoção. Seu comportamento foi inadequado e gerou riscos desnecessários, pois a depressão é uma doença tratável.

Nosso jovem andava cabisbaixo e angustiado. Não entendia o que era uma depressão, suas causas e consequências, pois ainda não tivera aulas de psiquiatria sobre o assunto. Só sabia que sentia uma profunda tristeza e aperto no peito.

Sua mente estava inquieta; seus pensamentos, acelerados e

pessimistas. Não era amigo da noite nem companheiro do dia: tinha insônia e desmotivação. A alegria despediu-se dele como as gotas de água se dissipam no calor.

Os amigos estavam próximos, mas inalcançáveis. Sentia-se ilhado na mais profunda solidão. Nada o animava. O jovem extrovertido e seguro fora derrotado pela pior derrota, aquela que se inicia de dentro para fora. Perdeu a guerra sem nunca enfrentar uma batalha. A guerra pelo prazer de viver.

Todavia, quando a esperança estava cambaleante, algo novo surgiu. Voltou para dentro de si mesmo. Começou a questionar qual o sentido da sua vida e qual sua postura diante do próprio sofrimento.

Percebeu que tinha se conformado com seu drama emocional, não lutava interiormente, era um escravo sem algemas. Percebeu ainda que tinha sufocado seus sonhos, o sonho de ser um cientista e de ajudar a humanidade. Então, resolveu deixar de ser vítima da sua miséria psíquica e tentar ser líder do teatro da sua psique.

Começou a seguir a trajetória de Beethoven, de Martin Luther King, de Abraham Lincoln e de todos os que não se conformaram com seu cárcere psíquico. Decidiu ir à luta contra o pior inimigo, aquele que não se vê. Empreendeu uma batalha dentro de si mesmo. Procurou perscrutar seu caos e entender os fundamentos da sua crise. Criticava sua dor e questionava seus pensamentos negativos.

Einstein queria explicar as forças do universo, a relação espaço-tempo. A.C. queria, em seu desespero, explicar as forças que regiam o caos do campo da energia psíquica. Penetrou nos pilares do seu dramático conflito. Foi audacioso.

Nessa trajetória, entendeu que, quando as pessoas estão sofrendo e precisam mais de si mesmas, elas não se interiorizam, se abandonam. *Você se abandona em momentos difíceis?*

Percebeu que as sociedades modernas se tornaram um canteiro de pessoas que fogem de si mesmas. Estão sós no meio da multidão, nas escolas, nas empresas, nas famílias.

A.C. aprendeu rápido uma grande lição da inteligência: *"Quando o mundo nos abandona, a solidão é superável, mas, quando nós mesmos nos abandonamos, a solidão é quase insuportável."*

Nasce um grande observador

A.C., embora imaturo, não se autoabandonou. Começou a ter longos diálogos consigo mesmo. Embora inexperiente, sua intuição criativa e o desejo ardente de superar seu secreto caos o levaram a descobrir uma técnica psicoterapêutica que revolucionaria sua vida e a de seus futuros pacientes: "a mesa-redonda do eu".

"A mesa-redonda do eu" é o resultado do desejo consciente do ser humano de debater com todos os atores que financiam as doenças psíquicas, como a síndrome do pânico, a depressão, a ansiedade, sejam os atores do passado (contidos no inconsciente), sejam os do presente (pensamentos, sentimentos e causas externas). É uma técnica que fortalece a capacidade de liderança do "eu" e estimula a arte de pensar.

Nessa técnica, o "eu", como agente consciente, decide ser ator principal do teatro da mente e não mais ator coadjuvante ou, o que é pior, um espectador passivo. Ele começa a libertar sua criatividade para criticar, confrontar, discordar e repensar as causas que financiam os conflitos, e para atuar contra os pensamentos negativos, as ideias mórbidas e as emoções perturbadoras geradas por esses conflitos.

Essa técnica é um mergulho interior. A.C. a usou para deixar de ser passivo. Ele reuniu, sem ter consciência inicial, as bases analíticas e cognitivas da psicoterapia que iria desenvolver. A primeira investiga as causas e a segunda atua no palco da mente. Essas duas bases estavam separadas na psicologia moderna.

Nosso jovem debatia consigo as causas conscientes e inconscientes da sua depressão e, ao mesmo tempo, confrontava os pensamentos derrotistas.

Passou a criticar sua submissão à depressão. Perguntava-se: "Por que estou deprimido? Onde tudo começou? Por que sou um servo das ideias que me angustiam? Discordo de ser escravo dos meus pensamentos? Não me conformo em ser passivo?"

Fazia um debate inteligente e seguro no teatro da sua mente. Gritava no silêncio. O resultado? Nasceu, assim, um refinado observador do funcionamento da mente que pouco a pouco se tornou autor da própria história.

A depressão não foi suficientemente forte para aprisioná-lo. Saiu mais forte, humilde, compreensivo. Seus sonhos se expandiram e voltaram a florir como um campo de girassóis nas planícies áridas da angústia.

Descobrindo que o tempo da escravidão não terminou

O transtorno emocional de A.C. o levou a enxergar a dor por outro ângulo. Entendeu o grande dilema exposto neste livro e que os sonhadores sempre enfrentaram: *a dor nos constrói ou nos destrói*. Ele preferiu usá-la para se construir.

A depressão foi um instrumento maravilhoso para humanizá-lo e torná-lo pouco a pouco um cientista da psicologia. Encontrou uma fonte de júbilo ao mergulhar dentro de si e descobrir como é fantástico pensar, como é fascinante existir, como é espetacular ter emoções, ainda que dolorosas.

Nessa caminhada interior, reconheceu convictamente que somos os maiores carrascos de nós mesmos. Sofremos por coisas tolas, nos angustiamos por eventos do futuro que talvez jamais ocorram, gravitamos em torno de problemas que nós mesmos criamos.

Os conflitos intangíveis deixaram de assombrar A.C. Perdeu o medo dos monstros escondidos nos bastidores da sua mente. Enfrentou-os. Foi um grande alívio.

Nessa escalada de investigação, compreendeu que um dos maiores erros da psiquiatria e da educação clássica é transformar o ser humano num espectador passivo dos seus transtornos psíquicos.

Percebeu que treinar o "eu" para ser líder de si mesmo é fundamental para a saúde psíquica. Entendeu que a quase totalidade das pessoas tem um "eu" malformado que não gerencia seus pensamentos nem protege sua emoção adequadamente.

Ficou impressionado com o paradoxo do sistema social. Aprendemos a dirigir carros, organizar a casa, conduzir uma empresa, mas não sabemos dirigir nem intervir em nossas ideias e emoções tensas. Somos tímidos onde deveríamos ser fortes. Somos prisioneiros onde deveríamos ser livres.

Perguntava-se com frequência: que ser humano é esse que governa o mundo exterior mas é frágil para governar o mundo psíquico?

Por estudar dedicadamente a construção da inteligência, A.C. começou também a compreender algo que o incomodou: o tempo da escravidão não terminou. Abraham Lincoln, Luther King e muitos outros lutaram contra a escravidão e a discriminação, mas onde estão as pessoas livres?

Ele começou a desconfiar que vivemos em sociedades democráticas, mas somos frequentemente sujeitos ao cárcere da emoção, do mau humor, das preocupações com a existência, da tirania do estresse, da ditadura da estética, da paranoia do status social e da competição predatória. As pessoas vivem porque estão vivas, mas raramente questionam o que é a vida, por que são tão ansiosas, pelo que vale a pena lutar.

Ele se perguntava: "Onde estão as pessoas cuja mente é um palco de tranquilidade? Onde estão as pessoas que contemplam o belo, que extraem prazer das pequenas coisas, que investem naquilo que o dinheiro não compra?" Procurava-as no tecido social, mas não as encontrava.

Anos depois, quando A.C. tornou-se um psiquiatra, passou a aplicar as técnicas e os conhecimentos que desenvolveu naquela época em seus pacientes. Seu primeiro paciente tinha uma grave e crônica síndrome do pânico associada a fobia social. Fazia 12 anos que não saía de casa, não comparecia a festas, não visitava amigos. Era um prisioneiro dentro e fora de si.

A.C. procurou compreender as causas psíquicas e sociais do seu conflito e pediu que ele fizesse a mesa-redonda em seu íntimo e desenvolvesse a arte da crítica e da dúvida contra sua masmorra psíquica.

O paciente resgatou a liderança do "eu". Deixou de ser vítima dos seus conflitos e passou a ser agente modificador da sua história. Em poucos meses reeditou o filme do inconsciente. Resolveu o pânico e a fobia social. Encontrou o tesouro da psique: a liberdade interior.

Experiências como essas levaram A.C. a entender que todo ser humano tem um potencial intelectual represado debaixo dos destroços das suas dificuldades, perdas, doenças psíquicas e ativismo profissional. Felizes os que o libertam.

Pensando o pensamento.
Dando risada das próprias tolices

Após sair da crise depressiva, A.C. não cessou sua jornada interior. Continuou a pesquisar e procurar descobrir como se transformam as emoções e a analisar como se constrói o mundo das ideias. Era um grande atrevimento! Raramente os pensadores da psicologia entraram nessa seara do conhecimento.

Freud, Jung, Skinner usaram o pensamento pronto para produzir a teoria sobre a personalidade. O jovem estudante de medicina desejava ir mais longe. Queria investigar o próprio processo de construção dos pensamentos. O resultado? Nunca ficou tão confuso.

Todavia, paulatinamente, compreendeu que cada pensamento, mesmo os que consideramos banais, era uma construção mais complexa do que a construção de um supercomputador.

Ficava fascinado e perturbado quando analisava a forma como penetramos na memória com a rapidez de um relâmpago, em milésimos de segundos, e em meio a bilhões de opções resgatamos com extremo acerto os elementos que constroem as cadeias de pensamentos.

Ele ficou convicto de que o *Homo sapiens,* seja ele um intelectual ou um mendigo, um rei ou um súdito, possui a mesma complexidade de funcionamento da mente. Esta compreensão mudou a vida de A.C., o fez admirar cada ser humano. A ciência o fez amar a espécie humana.

Admirava-se: "Que loucura é pensar! Somos uma usina de pensamentos extremamente sofisticada, mas estamos tão atarefados em procurar sobreviver que não percebemos este espetáculo."

Pensar o pensamento se tornou para ele o que a pintura representava para DaVinci, a poesia para Goethe, a matemática para Galileu. Embora ficasse mais confuso do que seguro nos primeiros anos, sua escalada científica levou-o a entender que cada ser humano é um mundo a ser explorado. Não existem diferenças no funcionamento da mente humana. Não existem brancos, negros ou amarelos no universo da inteligência.

Qual a diferença entre judeus e árabes, americanos e franceses? Quais as diferenças entre psiquiatras e pacientes? Temos diferenças culturais na habilidade criativa, na capacidade de organizar as ideias, mas os fenômenos que constroem todas essas diferenças são exatamente os mesmos.

Amamos nos dividir, separar, discriminar, mas temos o mesmo anfiteatro dos pensamentos. Esta compreensão mudou completamente a vida do jovem cientista. Nunca mais seria o mesmo.

Entendeu que os mesmos "engenheiros" que constroem pensamentos na mente de um cientista também estão presentes numa criança com síndrome de Down. A diferença está apenas na reserva do córtex cerebral, no armazém dos dados utilizados.

A.C. começou a investigar esses fenômenos universais e produzir, assim, ciência básica para a psicologia, psiquiatria, sociologia, ciências da educação. Ciência básica são os alicerces da própria ciência. Sem ela, o conhecimento não se expande com maturidade. A ciência básica na química são os átomos e as partículas atômicas; na biologia são as células e as estruturas intracelulares.

Na psicologia e nas demais ciências humanas, ciência básica são os fenômenos que leem a memória, constroem os pensamentos, transformam a emoção e estruturam o "eu". A.C. pesquisava essa área. Uma área que representa a última fronteira da ciência, pois desvenda quem somos e o que somos.

Em seu sonho ele não desejava que sua teoria competisse com outras teorias, mas que pudesse produzir tijolos para unir, criticar e abrir avenidas de pesquisas para elas. Este era seu intrépido projeto. Para ele, as ciências humanas estavam fechadas em tribos, teorias e disputas irracionais.

Ele questionava o papel da ciência que trouxe tantos avanços tecnológicos, mas não avanços no território da emoção. Queria expandir a ciência e humanizá-la. A ciência deveria servir à humanidade e não a humanidade servir à ciência.

Fascinado com suas ideias, mas distraído

Muitos estudavam fígado, coração, pulmões na sua faculdade, mas ele estava interessado em investigar a psique, o pequeno e infinito mundo que nos tece como espécie inteligente.

Quando seus professores terminavam de dar uma aula prática junto ao leito dos pacientes com câncer, cirrose, enfisema pulmonar, seus colegas saíam, mas ele ficava. Queria conhecer a história, os medos, os recuos, os pensamentos e os sonhos dos seus pacientes. Amava entrar no mundo deles.

Entendeu que cada ser humano, até as pessoas mais complicadas, tinha uma história fascinante. Era capaz de observar horas e horas uma criança ou conversar prolongadamente com os idosos. Você conhece os sonhos e os medos das pessoas mais próximas? Muitos pais, filhos, professores, colegas de trabalho nunca conversaram sobre esses assuntos uns com os outros.

Pouco a pouco, A.C. libertou sua criatividade e sua consciência crítica. Apesar de ter bons professores de psiquiatria, expandiu suas críticas a muitas ideias que eles ensinavam. Não concordava quando enfatizavam a alteração das substâncias químicas cerebrais, como a serotonina, na formação das doenças psíquicas (Kaplan, 1997). Para ele, a mente humana era mais complexa do que as neurociências viam. A mente era mais do que um computador cerebral.

Compreendia que na base da depressão e da ansiedade existiam diversos fenômenos psíquicos que atuavam sutilmente e não apenas as substâncias químicas. Como estudava a construção dos pensamentos, percebia que o "eu" facilmente poderia se tornar ator coadjuvante no teatro da mente, incapaz de administrar os pensamentos perturbadores, as ideias fixas, os conflitos existenciais. Um "eu" frágil e submisso abria as portas para as doenças psíquicas.

Registrava todas as suas descobertas. Os tempos tinham mudado. Na adolescência detestava escrever, agora escrevia com prazer. Em qualquer lugar onde se encontrava fazia anotações: no interior de um ônibus, nas ruas, nos corredores da faculdade. Seus bolsos viviam cheios de papéis. Libertar o mundo das ideias tornou-se uma aventura. No final da faculdade tinha diversos cadernos anotados.

Por pensar tanto, era desconcentrado e distraído. Certo dia em que chovia muito, ao descer do ônibus, abriu seu guarda-chuva. Chegando no hospital da faculdade, percorreu os compridos corredores. Cumprimentou as pessoas que olhavam para ele sorrindo. Ficou alegre por estar sendo observado.

Depois de caminhar mais de cem metros, entrou no elevador e de repente percebeu que estava com o guarda-chuva aberto. Olhou para as pessoas meio sem graça, mas não ficou constrangido. Aprendeu a dar risadas das suas tolices.

Se não desse risadas, não sobreviveria, pois essas reações bizarras eram comuns. Ao rir de si mesmo, sua vida ganhou mais suavidade.

Enfrentando com alegria o deserto no casamento

Começou a namorar uma estudante de medicina. Quando o relacionamento criou raízes, ele assustou-a falando-lhe de seu projeto como cientista. Comentou que tinha um sonho que o controlava e que investiria sua vida nesse sonho. Casar-se com ele era correr risco. Apaixonada, ela aceitou o risco.

Eles se casaram ainda estudantes, ele no início do sexto ano, ela, no quarto. Passaram enormes crises financeiras. No primeiro ano do casamento tinham um carro simples, mas faltava dinheiro para colocar combustível. Seu carro parou 15 vezes no meio da rua por falta de gasolina.

Ninguém entendia por que um médico empurrava tanto seu carro na rua. Os vizinhos pensavam que se tratava de um médico, mas na verdade era um duro estudante de medicina. Um sonhador sem dinheiro. Foram poéticos vexames.

Na sua casa não entrava frango, peixe ou outros tipos de carne, não porque o casal fosse vegetariano, mas porque as dificuldades financeiras eram tantas que não tinha condição de comprá-los. Sua esposa ia com o equivalente a dez dólares ao supermercado e ainda tinha que trazer troco. Mas eram felizes na escassez. Aprenderam a extrair prazer das coisas simples.

No último ano de medicina escreveu quatro horas por dia. Nessa época descobriu o fenômeno da psicoadaptação – a incapacidade da emoção humana de reagir à exposição repetida ao mesmo estímulo.

Esse fenômeno o levou a entender a perda da sensibilidade e capacidade de reação. Compreendeu por que os soldados nazistas, pertencentes à nação que mais ganhara prêmios Nobel até a década de trinta do século XX, não reagiram quando viram as crianças judias morrendo nos campos de concentração.

Entendeu que o *Homo sapiens* pode se psicoadaptar inconscientemente a todas as mazelas sociais, como as guerras, o terrorismo, a violência, a discriminação, e ter um conformismo doentio. O anormal pode se tornar normal. O "eu" pode ficar impotente, frágil, destrutivo e autodestrutivo.

Entendeu que a frequente exposição à dor do outro pode gerar insensibilidade se não for trabalhada adequadamente. Em menor escala, médicos, advogados, policiais, soldados e qualquer pessoa que trabalha continuamente com sofrimentos e falhas humanas pode anestesiar seus sentimentos frente às angústias alheias.

Eles falam da dor das pessoas sem nada sentir. Tornaram-se técnicos frios. Tal frieza não é uma proteção, mas uma alienação inconsciente.

O engessado sistema acadêmico

Foram muitas outras descobertas. Todavia, sua produção de conhecimento ainda estava no amanhecer. Era um questionador que aprendera a valorizar os dois principais pilares que formam os pensadores: o pilar da filosofia, a arte da dúvida, e o pilar da psicologia, a arte da crítica. Compreendeu passo a passo que o princípio da sabedoria não é a resposta, mas a dúvida e a crítica (Durant, 1996).

Entendeu que os que não aprendem a duvidar e criticar serão sempre servos. A aceitação passiva das respostas pode abortar o desenvolvimento da inteligência. Os psicopatas nunca duvidaram de si mesmos, nunca criticaram sua compreensão da vida.

Começou a entender algo que o perturbava: o sistema acadêmico, por ser fonte de respostas prontas, estava destruindo sutilmente a formação de pensadores no mundo todo. O conhecimento dobrava a cada cinco ou dez anos, mas a formação de engenheiro de ideias estava morrendo.

Apesar de ter em alta conta os professores, A.C. considerava que o sistema acadêmico estava doente, pois formatava universitários para consumir informações sem crítica, sem contestação. Os jovens estavam se tornando meros repetidores de informações, sem adquirir capacidade de enfrentar desafios e assumir riscos. O templo do conhecimento havia perdido os fundamentos do livre pensar.

Após terminar a faculdade, ele procurou uma grande universidade para continuar suas pesquisas. Procurou um cientista, um doutor em psicologia, para expor suas ideias. Estava animado com a possibilidade de ser incentivado. Falou rapidamente sobre sua intenção de pesquisar a construção das ideias, a formação da consciência e a natureza da energia psíquica. O resultado? Foi humilhado.

O ilustre professor lhe disse: "Você está querendo ganhar o prêmio Nobel?" Fechou-lhe a porta. A.C. ficou abatido por um tempo. Sentiu que a dor da rejeição é uma das piores experiências humanas. Mas ainda acreditava nos seus sonhos.

Posteriormente procurou uma outra universidade ainda maior. Desta vez foi mais preparado, pois, em vez de usar sua fala como argumento, levou uma apostila que continha centenas de páginas sobre suas ideias.

Enfrentou uma banca examinadora composta de ilustres professores de psiquiatria e psicologia. Acreditava que, mesmo que rejeitassem suas ideias, poderiam pelo menos ler seus escritos e respeitar sua capacidade de pensar.

Uma examinadora pegou seu material e perguntou-lhe rapidamente do que se tratava. Ele abriu a apostila e fez um breve comentário. Ela o interrompeu perguntando quem o tinha orientado. Ele disse que o assunto era inédito, não havia orientador.

O resultado? Foi mais humilhado ainda.

A examinadora fechou a apostila sem folheá-la. Exalando autoritarismo e com o respaldo de toda a banca, devolveu-a dizendo que não havia espaço para ele naquela universidade. Pediu que retornasse à sua faculdade e pesquisasse debaixo da orientação dos seus professores. Mal sabia ela que ele escrevia as matérias de maneira diferente de como lhe ensinavam.

Os membros da banca não sabiam que as grandes teorias, como a psicanálise de Freud e a teoria da relatividade de Einstein, foram produzidas fora dos muros das universidades. Não entendiam que tudo o que é sistematizado fecha as possibilidades do pensamento, contrai o mundo das ideias. Novamente a dor da rejeição tocou a alma de A.C.

Após essas experiências, fez várias tentativas para publicar seus estudos. Procurou muitas editoras. Esperou durante meses uma resposta. O resultado? O silêncio. Nenhuma editora sequer teve o trabalho de enviar-lhe uma resposta.

Enterrando os sonhos no solo do sucesso

Depois dessa terceira derrota, o melhor que ele podia fazer era deixar de lado seus sonhos. Teria de abandonar a pesquisa e exercer apenas a psiquiatria clínica. Precisava sobreviver. Através das técnicas que aplicava, muitos pacientes com transtornos psíquicos graves davam um salto na sua qualidade de vida.

Em sua trajetória de pesquisa, ele desenvolveu funções nobres da inteligência que o faziam influenciar o ambiente e criar oportunidades. Era empreendedor, intrépido, questionador. Facilmente se destacava nos ambientes.

O resultado foi uma ascensão social meteórica. Começou a dar palestras e entrevistas na mídia sobre os conflitos psíquicos. Em menos de dois anos estava nos principais canais de TV do seu país e se tornara consultor científico de um dos principais jornais do seu continente.

Tinha na mídia o espaço que muitos políticos ambicionavam e conseguiu status maior do que o das pessoas que o rejeitaram. Era um profissional reconhecido e admirado. Porém havia algo errado dentro dele. Estava infeliz. Por quê? Porque havia enterrado seus sonhos.

Os holofotes da mídia e os aplausos não ecoavam dentro de si. Seus íntimos vibravam com seu sucesso. Mas a fama o colocava num ativismo intenso. Não tinha tempo para aquilo que amava.

Percebeu que precisava fazer uma difícil escolha. Teria de optar pelo status social ou pelo mundo das ideias. Teria de decidir entre a fama e o sonho de produzir ciência para ajudar a humanidade. Alguns poderiam conciliar essas duas coisas. A.C. não conseguia.

No auge do assédio social, resolveu abandonar tudo e procurar o anonimato. Ninguém o apoiou, somente sua esposa. Nada tão belo como nos reconciliarmos com nossos sonhos. Nada tão triste como desistirmos deles. Muitos achavam loucura sua atitude, mas seu rosto voltou a brilhar. Encontrou a alegria oculta represada no secreto do seu ser.

Queridos leitores, não sei se vocês perceberam, mas a história de A.C. é a história de AUGUSTO CURY, a minha própria história. Decidi compartilhá-la com vocês para dar um exemplo mais próximo de alguém que chorou, atravessou crises, abandonou seus sonhos, resgatou-os e investiu neles.

Os sonhos precisam de persistência e coragem para ser realizados. Nós os regamos com nossos erros, fragilidades e dificuldades. Quando lutamos por eles, nem sempre as pessoas que nos rodeiam nos apoiam e nos compreendem. Às vezes somos obrigados a tomar atitudes solitárias, tendo como companheiros apenas nossos próprios sonhos.

Mas os sonhos, por serem verdadeiros projetos de vida, resgatam nosso prazer de viver e nosso sentido de vida, que representam a felicidade essencial que todos procuramos.

Quando tomei a atitude de lutar pelos meus sonhos, eu não imaginava os acidentes do caminho que ainda enfrentaria. Não tinha ideia de que em alguns momentos meu mundo desabaria e não teria solo para pisar. Só sabia que havia riscos nessa jornada e teria que corrê-los. Permita-me continuar.

Um ambiente inusitado

Queria encontrar um lugar único para escrever. Saí da capital de São Paulo e fui para o interior. Construí minha casa e minha clínica no centro de uma mata. Também lá estabeleci meu consultório. Comecei tudo de novo. Mas eu me perguntava: quem iria procurar um psiquiatra no centro de uma mata? Será que teria que enfrentar uma nova crise financeira? No entanto, pouco mais de um ano depois, minha agenda estava cheia.

Por morar no centro de uma floresta aconteceram coisas incomuns. Por duas vezes entraram cobras na sala de atendimento, que ficava voltada para um belo mural de árvores nativas.

Bem-humorado, ensinei meus pacientes a pensar. Acalmava-os dizendo que o problema não são as cobras das matas que só atacam se ameaçadas, mas as cobras das cidades (a violência social) e as cobras da nossa mente. São elas que envenenam a saúde psíquica. Ninguém pode fazer tanto mal ao ser humano quanto ele mesmo.

Meu objetivo principal como psiquiatra e psicoterapeuta era estimular meus pacientes a serem autores de suas histórias. Certa vez um engenheiro e professor universitário procurou-me com um grave quadro obsessivo. Havia vinte anos que se atormentava com inúmeras imagens diárias de uma faca entrando no peito do filho ou com imagens do seu próprio corpo mutilado num acidente de carro.

Passara por 11 psiquiatras, tinha tomado todo tipo de remédio sem obter melhoras. Recebera o diagnóstico de psicótico erroneamente, pois, apesar de ser escravo das imagens que pensava, tinha consciência de que eram irreais. Nos últimos quatro anos isolara-se dentro do seu quarto, onde vegetava e chorava. Raramente alguém viveu num calabouço tão intenso.

Ao tratá-lo, expliquei-lhe o que era a construção multifocal de pensamentos. Comentei que ou ele governava seus pensamentos ou seria dominado por eles. Incentivei-o a criticar cada pensamento de conteúdo negativo e reescrever a sua história.

O engenheiro de profissão passou a ser um engenheiro de ideias. Aprendeu a gerenciar os pensamentos e proteger sua emoção. Melhorou tanto após alguns meses que, por estranho que pareça, sua esposa caiu em depressão e precisou ser tratada.

Não sabia quem é que dormia ao seu lado, pois havia casado com uma pessoa doente.

Em outra vez, atendi um paciente de cor negra com baixíssima autoestima, inseguro e bloqueado, tanto por seus problemas como pelo fato de não poder pagar a consulta. Percebendo seu bloqueio, fitei-o nos olhos e perguntei com firmeza: "Quem é mais importante, eu ou você?"

O paciente ficou chocado com a pergunta. Respondeu sem hesitar: "Você!" Reagi: "Nunca diga isso. Não importam seus conflitos e sua condição financeira, você é tão importante quanto eu, tão capaz quanto eu, tão digno quanto eu." Durante o tratamento, ele deixou de ser marionete das suas mazelas psíquicas e começou a ser diretor do palco da sua mente. Encontrou orvalhos em suas manhãs.

Por pesquisar o funcionamento da mente e utilizar as ferramentas psicológicas subutilizadas em cada ser humano, muitos pacientes crônicos e com doenças resistentes expandiam a arte de pensar e davam um salto de qualidade na sua saúde psíquica. Os resultados me levaram a ter oportunidade de atender pacientes de outros países.

Eu não apenas ajudava meus pacientes, mas também aprendia com eles. Para mim, todos têm algo a ensinar, mesmo um paciente psicótico, cujos parâmetros da realidade estão desorganizados.

Eu aprendi a amar tanto meu trabalho que conseguia encontrar riquezas nos escombros dos obsessivos, dos ansiosos, dos depressivos e até das pessoas que pensavam em suicídio.

Acredito que todo ser humano tem ferramentas para ser um pensador. O desafio consiste em levar cada um a encontrá-las. O problema é que a grande maioria das pessoas conhece, no máximo, a sala de visitas do seu próprio ser. Você pode admitir que as pessoas não o conheçam, mas jamais deve ser um estranho para si mesmo.

Uma síntese das descobertas

Minha produção científica intensificou-se, obrigando-me a reduzir meus atendimentos. Passei a escrever mais de vinte horas por semana, depois trinta. Certa vez sentei-me às nove da manhã e levantei-me da cadeira à uma da madrugada sem nenhuma interrupção. Estava absorto pelos meus sonhos.

Os anos se passaram. Tive três filhas. Sou apaixonado por elas. Gastei tempo penetrando em seu mundo e deixando-as conhecer minhas aventuras, perdas, problemas, projetos. Queria ser fotografado nos solos da memória delas. Elas aprenderam a amar minhas histórias. Não queria ser grande externamente, mas grande no coração emocional de minhas filhas.

Minha esposa sempre foi maravilhosa. Ela tinha grande paciência comigo, pois, por escrever muito, raramente chegava a tempo nos compromissos sociais. O problema é que os anos se passavam e minha teoria era tão complexa que não conseguia terminá-la.

Certa vez, minha filha Camila, na época com 11 anos, me fez uma pergunta fatal sobre o livro que ela sabia que eu estava escrevendo desde antes de ela nascer: "Pai, quando é que você vai terminar seu livro?"

Esfreguei as mãos no rosto, olhei para ela e simplesmente não consegui dar-lhe resposta. Minha esposa se adiantou e, nas raras vezes em que perdeu a paciência comigo, disse: "Minha filha, seu pai nunca vai terminar esse livro. Pois, no dia em que terminá-lo, ele vai morrer..."

Felizmente, passados mais de 17 anos, terminei os pressupostos básicos da minha teoria e não morri. Escrevi mais de três mil páginas. Falo com humildade, mas, creio, fiz importantes descobertas que provavelmente reciclarão alguns pilares da ciência durante o século XXI.

É provável que essas descobertas venham a mudar a maneira

como vemos a nós mesmos, como entendemos a nossa espécie. Somos mais complexos do que a ciência vinha imaginando.

O problema é que, apesar de amar meu país, sei que ele não valoriza seus cientistas, principalmente aqueles que desenvolvem teorias, que são fontes de pesquisas, fontes de teses. Por serem muitas as descobertas, citarei brevemente apenas algumas. Essas descobertas têm inúmeras implicações que poderão surpreender o leitor. Por favor, não se preocupe se não entender todos os assuntos que serão citados a seguir. Até porque demorei quase duas décadas para entendê-los e ainda continuo aprendendo.

1. NÃO EXISTE LEMBRANÇA PURA DO PASSADO COMO A HUMANIDADE SEMPRE ACREDITOU E COMO MILHARES DE PROFESSORES E PSICÓLOGOS DO MUNDO TODO AFIRMAM. O PASSADO É SEMPRE RECONSTRUÍDO NO PRESENTE COM MICRODIFERENÇAS DEVIDO ÀS VARIÁVEIS MULTIFOCAIS QUE PARTICIPAM DO PROCESSO DE LEITURA DA MEMÓRIA. O PRESENTE RELÊ O PASSADO NUM PROCESSO CONTÍNUO, INDICANDO QUE HÁ UMA REVOLUÇÃO CRIATIVA EM CADA SER HUMANO.

A primeira implicação dessa descoberta é que a educação praticada em todas as nações modernas que enfatizam o processo de lembrança exata está errada. As provas escolares que exigem a reprodução fiel da matéria ensinada pelos professores destroem a formação de pensadores e geram repetidores de informações.

A memória não é um banco de dados, mas um suporte para a criatividade. É possível dar nota máxima para um aluno que errou todos os dados. Deve-se analisar a inventividade, a originalidade, o raciocínio esquemático nas provas, e não apenas informações objetivas.

2. O REGISTRO NA MEMÓRIA É INVOLUNTÁRIO, PRODUZIDO PELO FENÔMENO RAM (REGISTRO AUTOMÁTICO DA MEMÓRIA).

Primeira implicação: Dois anos em que os alunos ficam enfileirados na sala de aula registram milhares de imagens que produzem traumas psíquicos que podem se perpetuar por toda a existência. Essas imagens geram bloqueio intelectual, estabelecem uma hierarquia entre os alunos, produzem timidez, insegurança e dificuldade de debater as ideias em público. Milhões de pessoas no mundo têm traumas produzidos pelas escolas.

A educação moderna é produtora de doenças emocionais. Os alunos deveriam sentar-se em semicírculo ou em "U" para serem debatedores de ideias e não frágeis espectadores passivos.

Segunda implicação: É possível estimular o fenômeno RAM de crianças autistas, ampliar o registro das experiências psíquicas, expandir a capacidade de pensar e construir vínculos afetivo-sociais.

3. A MEMÓRIA SE ABRE POR JANELAS QUE SÃO TERRITÓRIOS DE LEITURAS, E É O ESTADO EMOCIONAL QUE DETERMINA O GRAU DE ABERTURA DESSAS JANELAS. SE A EMOÇÃO ESTIVER TENSA, ELA FECHA AS JANELAS E BLOQUEIA A RACIONALIDADE, LEVANDO O SER HUMANO A REAGIR POR INSTINTO, COMO UM ANIMAL. SE A EMOÇÃO ESTIVER SERENA E TRANQUILA, ABREM-SE AS JANELAS DA MEMÓRIA E EXPANDE-SE A ARTE DE PENSAR.

Primeira implicação: Nos primeiros trinta segundos de tensão cometemos os maiores erros de nossas vidas. Ferimos quem mais amamos. Muitos cometem suicídio, homicídios, atos violentos nesse período. A melhor resposta quando estamos tensos é não dar resposta. É fazer a oração dos sábios: o silêncio. É pensar antes de reagir.

Segunda implicação: Deve haver música ambiente em sala de aula (clássica, de preferência), para cruzar informações lógicas com o estímulo emocional provocado pela música. Tal procedimento, associado à disposição dos alunos em "U" na sala de aula, reduz o estresse dos professores e alunos, melhora a concentração e o rendimento intelectual. Deveria haver também música ambiente e salas sem divisórias nas empresas para diminuir o estresse e melhorar o rendimento intelectual dos funcionários.

Diante dessa e de outras descobertas, desenvolvi o Projeto Escola da Vida,[1] constituído de dez técnicas psicopedagógicas facilmente aplicáveis em sala de aula de qualquer sociedade.

Essas técnicas trabalham o funcionamento da mente e educam a emoção, estimulando assim o prazer de aprender, a prevenção de transtornos psíquicos, suicídios, violência (fenômeno Bullying) e formando pensadores. Centenas de escolas estão aplicando gratuitamente esse projeto e experimentando finalmente uma revolução educacional.

4. A CONSTRUÇÃO DE PENSAMENTOS É MULTIFOCAL. HÁ QUATRO FENÔMENOS QUE PARTICIPAM DESSA CONSTRUÇÃO:

A) O "EU" (REPRESENTA A CAPACIDADE CONSCIENTE DE DECIDIR);

B) O FENÔMENO DO AUTOFLUXO, QUE PRODUZ MILHARES DE PENSAMENTOS DIÁRIOS, QUE POR SUA VEZ GERAM A MAIOR FONTE DE ENTRETENIMENTO (PENSAMENTOS SAUDÁVEIS) OU DE TERROR PSÍQUICO (PENSAMENTOS PERTURBADORES);

---

[1] O Projeto Escola da Vida está contido no livro *Pais brilhantes, professores fascinantes*, publicado pela Editora Sextante.

C) O fenômeno da autochecagem da memória (gatilho da memória, que define os estímulos, ou seja, decifra instantaneamente as imagens e os sons do ambiente);

D) A âncora da memória (janelas da memória, que são as áreas específicas de leitura). Os três últimos fenômenos são inconscientes.

O conhecimento sobre a construção multifocal dos pensamentos levará a uma revisão e expansão dos fundamentos da psicologia, pois revela que a nossa mente é muito mais complexa do que até hoje as teorias tinham imaginado.

Freud, Jung, Adler, Skinner não tiveram oportunidade de investigar e entender que o "eu" não é o ator único do teatro da mente. Existem três outros atores coadjuvantes que podem enriquecer a personalidade ou destruí-la, libertá-la ou aprisioná-la.

Primeira implicação: Pensar é o destino do *Homo sapiens* e não apenas uma opção consciente. Nenhum ser humano consegue interromper a construção de pensamentos. Se o "eu" não produz cadeias de pensamentos pelo desejo consciente, os outros fenômenos inconscientes os produzirão. Portanto, só é possível gerenciar a construção de pensamentos.

Segunda implicação: Sem gerenciar a construção de pensamentos, não é possível prevenir os transtornos psíquicos, promover a arte de pensar e gerar líderes de si mesmos.

Como o sistema acadêmico mundial (da pré-escola à universidade) não preparou, nos últimos cinco séculos de difusão das escolas, o ser humano para exercer esse gerenciamento, vivemos um grande paradoxo: nos tornamos gigantes na ciência, mas meninos na maturidade psíquica.

Terceira implicação: Perdemos o instinto de preservação da espécie por não estudarmos o funcionamento da mente e entendermos os fenômenos que constroem as complexas cadeias de pensamentos. Não percebemos que esses fenômenos são exatamente os mesmos em todo ser humano. Portanto, do ponto de vista psicológico, não há brancos, negros, judeus, árabes, americanos, reis, súditos. As guerras, a discriminação, as disputas comerciais predatórias e o terrorismo são frutos da autodestruição de uma espécie que não conhece o funcionamento da sua mente e não honra a arte de pensar.

Se os imperadores romanos, Stalin, Hitler e os senhores de escravos tivessem conhecido o tecido da própria inteligência, jamais teriam sido ditadores. Escravizaram porque foram escravos dentro de si mesmos. Só o conhecimento sobre si mesmo e o amor pela espécie humana libertam o *Homo sapiens* das suas loucuras.

5. TIVE A FELICIDADE DE DESCOBRIR A SÍNDROME DO PENSAMENTO ACELERADO (SPA) E A INFELICIDADE DE SABER QUE A MAIOR PARTE DA POPULAÇÃO MUNDIAL É PORTADORA DESSA SÍNDROME.

A SPA é decorrente do aumento exagerado da construção de pensamentos por parte dos quatro grandes fenômenos citados há pouco. Mexemos perigosamente na caixa-preta do funcionamento da mente através do excesso de informações (a cada cinco anos dobra o conhecimento, enquanto que no passado dobrava a cada duzentos anos), do excesso de estímulo da TV, da paranoia do consumismo, das pressões sociais, da competição excessiva.

Primeira implicação: Milhões de pessoas têm alguns dos sintomas da SPA: mente agitada, sofrimento por antecipação, sobrecarga do córtex cerebral, fadiga excessiva, déficit de concentração, esquecimento, dificuldade de contemplar o belo nos pequenos estímulos da rotina, sintomas psicossomáticos. Nas sociedades modernas, o normal é ser doente e estressado, o anormal é ser saudável, ter tempo para amar, sonhar, contemplar as coisas simples.

Segunda implicação: Por ter coletivamente a síndrome SPA, a juventude mundial viaja em suas fantasias e ideias, não se concentra, tem conversas paralelas e tumultua o ambiente da sala de aula. Tais comportamentos não ocorrem apenas por indisciplina, mas principalmente como tentativa de aliviar a ansiedade decorrente dessa síndrome. O sistema social construído pelos adultos cometeu um crime contra a mente dos jovens. Eles perderam o apetite de aprender, são insatisfeitos, ansiosos, precisam de muito para conquistar pouco no território da emoção.

6. QUESTIONEI, COMO DISSE, O MODELO BIOLÓGICO DOS TRANSTORNOS PSÍQUICOS, COMO A DEPRESSÃO E A SÍNDROME DO PÂNICO, FUNDAMENTADO NA ÊNFASE SIMPLISTA DA AÇÃO DOS NEUROTRANSMISSORES, COMO SEROTONINA, ADRENALINA, NORADRENALINA.

Primeira implicação: Os transtornos psíquicos, ainda que possam ter influência biológica, são produzidos, em última instância, pela ação doentia dos fenômenos que constroem cadeias de pensamentos e reações emocionais e pela dificuldade do "eu" em exercer o seu papel de autor da própria história.

Segunda implicação: Os antidepressivos e tranquilizantes deveriam ser atores coadjuvantes do tratamento psíquico. Como vimos, o "eu" deve ser trabalhado para exercer o papel de ator principal no teatro da mente; caso contrário, será vítima das suas mazelas psíquicas. Essas descobertas abriram novas perspectivas para a psiquiatria e a psicologia clínica.

7. Detectei três tipos fundamentais de pensamentos e sua natureza: o pensamento essencial, o pensamento dialético e o pensamento antidialético. O pensamento essencial é inconsciente, surge em milésimos de segundos após a leitura da memória e tem natureza real e concreta. Ele prepara uma pista de decolagem para a produção dos pensamentos conscientes, que são de natureza virtual, gerando a compreensão de que somos seres únicos no palco da existência.

Primeira implicação: A natureza virtual dos pensamentos conscientes leva o *Homo sapiens* a dar um salto indecifrável na compreensão da realidade do seu mundo psíquico e do mundo exterior. A virtualidade do pensamento libertou a mente humana, por isso discursamos sobre o passado, ainda que este seja irretornável, e sobre o futuro, ainda que seja inexistente.

Segunda implicação: A natureza virtual dos pensamentos conscientes, ao mesmo tempo que expandiu a mente humana para compreender a realidade, fragilizou a atuação do "eu" como gerente ou líder da psique.

Para tentar explicar melhor este assunto, imagine um quadro de pintura que tem sol, lago e árvores. O pensamento dialético é a descrição da paisagem, o pensamento antidialético é a imagem em si e o pensamento essencial é o pigmento da tinta. A única coisa real na pintura é o pigmento da tinta. As imagens e a descrição das imagens são belas, mas virtuais.

A última fronteira da ciência é estudar a natureza dos pensamentos. A grande questão é: pode o pensamento consciente, que é de natureza virtual, mudar a emoção (angústia, ansiedade, fobias, agressividade), que é de natureza real? Esta é a maior pergunta da ciência e poucos cientistas sequer a formularam! Perguntando de outro modo: a imagem virtual pode mudar o pigmento da tinta?

Entendi que sim, caso contrário o ser humano seria vítima e não agente capaz de transformar sua história. Todavia não é uma tarefa simples. É necessário que os pensamentos conscientes, que são virtuais, sejam produzidos com emoção, que é de natureza real, para intervir na própria emoção.

Caso contrário, acontecerão situações como estas: pessoas cultas vivendo no cárcere da emoção, não conseguindo mudar sua realidade, embora tenham consciência, muitas vezes, do que precisam corrigir. Algumas pessoas fazem anos de psicoterapia, conhecem seus conflitos, mas não conseguem ser autoras da sua história.

Recorde que para superar minha crise depressiva usei a técnica da "mesa-redonda do eu", bem como a arte da dúvida e da crítica. Essas técnicas me ajudaram a me autoconhecer e a intervir na dinâmica da minha personalidade.

8. Preocupado com o alto índice de transtornos psíquicos e estresse nas sociedades modernas, desenvolvi o Projeto PAIQ[2] (Programa da Academia de Inteligência de Qualidade de Vida). O PAIQ é provavelmente um dos raros programas mundiais de qualidade de vida autoaplicável que dá acesso (gratuito ou a baixo custo) às ferramentas psicológicas fundamentais para prevenir doenças psíquicas, formar pensadores e expandir as funções mais importantes da inteligência, como pensar antes de reagir, gerenciar os pensamentos, proteger a emoção, superar a SPA.

---

[2] O Projeto PAIQ – Programa da Academia de Inteligência de Qualidade de Vida – está contido no livro *12 semanas para mudar uma vida*, publicado pela Editora Academia de Inteligência.

Quase vinte anos se passaram

Após todas essas descobertas, estava animadíssimo. Afinal de contas, tinha renunciado a status, dinheiro, fama, sacrificara o tempo de minha família e dos amigos para investir neste projeto.

Todavia, um grande problema surgiu. Que editora publicaria um livro de três mil páginas? Não era comercial. Então, percebi que os cientistas são ingênuos, eles são impelidos pelos sonhos sem imaginar os problemas que enfrentarão. Num esforço dantesco, tentei resumir meu texto em quatrocentas páginas e o enviei a algumas editoras.

Queria ainda ser anônimo. Desejava que a força dos argumentos prevalecesse sobre minha antiga fama. Com grande expectativa, aguardava as respostas das editoras.

O tempo passou e nenhuma resposta veio. Quatro meses depois, recebi a primeira carta de uma editora. Meus olhos brilharam.

Enquanto abria a carta, fiz uma breve incursão nos longos anos de pesquisa. Lembrei o meu desejo ardente de contribuir para a ciência e melhorar a qualidade de vida das pessoas. Abri a carta. A resposta? Negativa.

Não queriam publicar meu livro. Um livro é como um filho. Rejeitar um livro é rejeitar algo que tanto amamos. Fui golpeado nos recônditos do meu ser. Mas não perdi a esperança. Pensava que certamente outras editoras se interessariam pelo meu trabalho.

Passado mais algum tempo, chegou outra carta. Peguei-a, sentei-me numa cadeira. Sentia-me como um jardineiro que cultivava ideias e via abrir o botão de uma flor. O resultado? Foi novamente negativo. Feri-me com os espinhos do fracasso.

Quando estava no auge da fama, tudo parecia tão fácil. Agora, no anonimato, tudo parecia difícil. Recostei-me na cadeira e refleti. Não era um livro o que eu queria publicar, era uma vida. As respostas que recebia eram evasivas. "Seu livro é interessante, complexo, mas não preenche nossa linha editorial." Acreditava que algumas editoras nem o tinham lido.

Olhei para dentro de mim mesmo e não desisti. Tirei mais cópias do meu material e fui à pequena agência do correio da cidadezinha onde morava e o enviei a outras editoras. Foram mais longos meses de espera.

Aguardei ansiosamente a resposta. Algumas nunca chegaram. De repente, outra carta. Mais de um ano se passara. Agora acreditava que seria positiva. A resposta, infelizmente, foi novamente negativa.

Abatido, comecei a acreditar que minha teoria dificilmente seria publicada. Recordei-me das noites de insônia em que ficara perturbado com os mistérios insondáveis do universo da inteligência. Rememorei o tempo em que me deixei absorver por minhas ideias e todo o sacrifício que fizera por causa delas.

Passado algum tempo, chegou a quarta resposta. Desta vez, minha esposa veio entregá-la. Ela era ainda jovem e bonita. Eram muitos anos desde que a tinha assustado dizendo que passaria grande parte da vida investindo nesse sonho. Ela correu riscos junto comigo. Sonhamos juntos, choramos juntos.

Engoliu a saliva. Abriu a carta suavemente. A resposta? Mais uma vez negativa.

O sonho tornou-se um delírio. Lágrimas rolaram pelas vielas do meu ser e pelos vincos do seu rosto.

A coleção de frustrações paralisou-me. Janelas *killers* foram produzidas. Era mais fácil enterrar meus sonhos. Era mais fácil represar minhas ideias. Afinal de contas, nem todos os sonhos se realizam.

O importante é tentar, pensei. Tentei, lutei, batalhei. Depois de quase vinte anos, já era tempo de descansar.

As andorinhas chilrearam na primavera

Quando todos os íntimos não esperavam mais qualquer reação, olhei para tudo o que tinha produzido e acreditei em meu sonho. Refleti sobre as principais descobertas e tive a convicção de que elas poderiam contribuir para a sociedade. Saí das cinzas.

Fui novamente à pequena agência de correio e postei mais uma vez. Passados alguns meses, veio uma resposta. Já não tinha grandes expectativas. Foram muitos os acidentes no caminho desde o tempo em que era um jovem estudante de medicina. O que mais poderia esperar? De repente, a surpresa.

Desta vez, afinal, a resposta foi positiva.

Uma grande editora resolveu apostar no projeto e publicar minha teoria. A aurora se estendeu em meu céu emocional. As andorinhas bailavam chilreando no anfiteatro dos meus pensamentos. Meu sonho deixou as páginas da minha alma e conquistou as páginas de um livro. Publiquei-o com o título de *Inteligência multifocal,* nome da teoria.

Entretanto, após publicar o livro, recebi outro golpe. Quase ninguém entendeu meus textos, de tão complexos que eram.

Os assuntos relativos à construção dos pensamentos, à formação da consciência e à estruturação do "eu" eram novos e muito complicados. Até psiquiatras, psicólogos, educadores tinham dificuldade em compreendê-los.

Apesar disso, recebi algumas mensagens de leitores dizendo que estavam impressionados com o conteúdo. Alguns cientistas começaram a usar a teoria para fundamentar suas teses acadêmicas. Mas poucas pessoas tinham acesso ao conteúdo. Poucos exemplares foram vendidos.

Teria de tentar explicar minha teoria numa linguagem mais acessível ou esperar que um dia, após minha morte, as pessoas a entendessem. Naquele momento vivi um dilema. Há um conceito na ciência, perpetuado até os dias de hoje, de que um pensador deve escrever apenas textos complexos, pouco compreensíveis para a maioria das pessoas. Resolvi estilhaçar esse conceito. Decidi democratizar a ciência, tornar as descobertas acessíveis à sociedade.

Resolvi escrever livros de divulgação científica. Sabia que a imprensa poderia classificar erradamente meus textos como autoajuda. Mas não me importei. O sonho de contribuir para a humanidade me envolvia. Assim, empenhei-me em nova e extenuante jornada.

Senti que precisava escrever algo inédito. Como meu primeiro livro tratava do processo de construção de pensamentos e da formação de pensadores, tive a ideia de usar a teoria para analisar a personalidade de um grande pensador da história.

Precisava escolher um grande personagem complexo e fascinante. Pensei em Platão, Alexandre o Grande, Freud, Einstein, John Kennedy, e muitos outros. Depois de muito pensar, fiz a escolha que aparentemente era loucura.

Resolvi analisar a personalidade daquele que dividiu a história da humanidade: Jesus Cristo. Desejei conhecer, dentro dos limites da ciência, como ele protegia sua emoção, como resgatava a liderança do "eu" nos focos de tensão, como gerenciava seus pensamentos, como estimulava a arte de pensar.

Decidi, portanto, entrar numa área que talvez ninguém tivesse investigado. Queria saber se ele era real ou fruto do imaginário humano, fruto da engenhosidade dos autores que escreveram suas quatro biografias, chamadas de Evangelhos.

Sabia que essa pesquisa poderia levar-me a receber muitas críticas, dos religiosos aos intelectuais. Afinal de contas, era uma ousadia sem precedentes. Se estivesse na época da Inquisição, talvez não sobrevivesse. Como analisar a personalidade do

Mestre dos Mestres? Como introduzir a psicologia numa área dominada completamente pela teologia? Algumas pessoas mais próximas acharam minha atitude arriscada.

Depois de análise criteriosa das suas quatro biografias em várias versões e de avaliar as intenções conscientes e inconscientes dos seus autores, fiquei perplexo e deslumbrado. Percebi que, mesmo sem a paleografia (crítica dos textos) e a arqueologia, a psicologia podia provar que Jesus Cristo foi um personagem real. Pois fiquei convicto de que os princípios que regem sua personalidade estão além dos limites do imaginário humano.

Ele não apenas foi real como, sob os olhos da psicologia, foi encantador. Preparei dois capítulos e propus que a minha editora os avaliasse. O título desse novo livro era *Análise da Inteligência de Cristo*.

Meu editor achou muito interessante o texto, mas disse-me que para publicá-lo precisaria fazer algumas modificações, pois os textos eram muito audaciosos. Além disso, como o primeiro livro não fora um sucesso, teria de esperar um prazo prolongado para publicá-lo.

Eu respeitava meu editor e admirava sua competência, mas não era possível modificar o que pensava. Preferi não alterar o texto. Estava convencido de que a psicologia me levara a descobrir coisas preciosas sobre o Mestre dos Mestres que talvez nunca tivessem sido compreendidas.

Fiquei intrigado ao perceber que ele é o personagem mais famoso da história, mas, ao mesmo tempo, o menos conhecido em sua personalidade. Compreendi que ele atingiu o topo da saúde psíquica e o ápice da inteligência nas situações mais estressantes. Por isso me perguntava com frequência: que homem é esse que tinha todos os motivos para ser deprimido e ansioso, mas foi plenamente tranquilo e feliz?

O sonho tornou-se realidade

Passado um tempo, publiquei o livro em outra editora. O resultado? Algo que não imaginava. Um sucesso estrondoso. Várias pessoas disseram que não gostavam de ler livros, mas vararam a madrugada lendo-o. Resgataram o prazer da leitura. Viajaram pelo mundo das ideias.

Escrevi cinco livros sobre a inteligência de Cristo. Pessoas de todos os níveis intelectuais, de todas as religiões, inclusive não cristãs, abriram as janelas da sua inteligência através desses livros.

Entre as muitas mensagens que recebi, uma jovem universitária disse-me que era muito crítica e que só gostava de ler Pablo Neruda, Camões e os filósofos. Tinha levado vários livros para ler nas férias, inclusive o meu, mas deixou-o por último, quando já não tivesse outra escolha.

Após a leitura, escreveu que era o melhor livro que já lera. Eu sabia que o sucesso não se devia à minha grandeza como escritor, mas à grandeza do personagem que descrevia. O primeiro capítulo desse livro, "O vendedor de sonhos", é fruto das minhas pesquisas sobre a personalidade desse fascinante Mestre.

Outros livros se sucederam. Assim, meu sonho, surgido no caos de uma depressão, encontrou eco em minhas lágrimas, ganhou corpo nos corredores escuros de uma faculdade de medicina, atravessou fracassos, vivenciou rejeições, tornou-se, por fim, uma realidade.

Hoje, mais de cinco milhões de pessoas leem meus livros todos os anos no Brasil. E agora eles estão sendo publicados em mais de quarenta países. As editoras que antes me rejeitaram hoje anseiam publicar meus livros. Mas os alicerces da minha personalidade não são os meus sucessos, e sim as lágrimas, dores e fracassos que vivenciei.

Atualmente, os livros estão sendo adotados em diversas faculdades, como psicologia, sociologia, educação, direito, etc., e são usados em muitas teses de mestrado e doutorado em vários países, como Espanha, Portugal, Cuba e Brasil.

A teoria da Inteligência Multifocal está sendo estudada em pós-graduação (*lato sensu*) em diversas universidades. Vários profissionais estão se especializando, aplicando e expandindo suas ideias. Muitos se tornarão escritores e cientistas da área mais complexa da ciência: o mundo onde nascem os pensamentos e se transforma a energia emocional. Há muito que descobrir ainda sobre o que somos e quem somos. Mas já é um grande começo.

Como disse, a Inteligência Multifocal não compete com outras teorias, mas, ao estudar os fenômenos que estão nos bastidores de nossa mente, pode trazer luz às demais teorias, como a da psicanálise, a psicoterapia comportamental, a teoria de Piaget, a teoria das inteligências múltiplas, a inteligência emocional.

Alegro-me ao saber que inúmeros leitores estão aprendendo a ser líderes no teatro da sua mente, o que é uma tarefa difícil que exige treinamento. Há uma semana, após dar uma conferência em uma universidade, uma professora me abraçou emocionada, dizendo que sofria de depressão havia mais de seis anos, não tivera êxito no tratamento e havia tentado o suicídio. Mas, dois meses antes, leu três dos meus livros e sua saúde psíquica dera um grande salto.

Um livro normalmente não é capaz de produzir esse efeito. Toda autoajuda é fugaz, se evapora no rolo compressor da vida. Entretanto, pelo fato de divulgar ciência, levo as pessoas a descobrirem ferramentas que possibilitem a elas resgatar a liderança do "eu", reeditar o inconsciente e deixar de ser vítimas dos seus transtornos.

Uma pessoa que possui uma doença psíquica deve procurar

um tratamento psiquiátrico e/ou psicoterapêutico, mas usar essas ferramentas pode acelerar o tratamento, ser muito útil para nutrir a capacidade de decidir e alicerçar a segurança. Por isso muitos psicólogos e médicos estão utilizando-as.

Em Portugal, na cidade do Porto, há uma Academia de Sobredotados (gênios),[3] que é um dos raros institutos especializados nesta área no mundo. Seu diretor, Nelson Lima, um culto doutor em psicologia, tem ensinado a seus alunos a construção de pensamentos a partir da teoria da Inteligência Multifocal. O objetivo é que os sobredotados aprendam a se adaptar ao mundo externo conhecendo o mundo interior, o fascinante funcionamento da mente.

A teoria da Inteligência Multifocal pode ajudar os sobredotados, mas os que têm inteligência dentro da normalidade também podem e devem expandir a arte de pensar por entender como se constrói a inteligência.

Só caminhamos nos solos da vida com segurança quando conhecemos os terrenos da nossa personalidade.

Nossa espécie está adoecendo

Muitos dos que se julgam ateus são na realidade antirreligiosos (Nietzsche, 1997). Marx, Diderot, Nietzsche, por discordarem das atitudes religiosas agressivas e incoerentes da sua época, se voltaram contra a ideia de Deus.

Diferente deles, eu fui um ateu científico. Não sei se houve outra pessoa nessa condição. Por ser um pesquisador da construção dos pensamentos, investiguei se Deus não seria a mais brilhante construção da imaginação humana.

---

[3] Instituto Inteligência (Academia de Sobredotados).
E-mail:bircham@oninet.pt

Todavia, à medida que estudava profundamente o funcionamento da mente, descobri que há fenômenos que ultrapassam os limites das leis físico-químicas. Esses fenômenos não se encaixam nas duas principais teorias da física moderna: a teoria da relatividade de Einstein e a da física quântica. Um dia escreverei um livro sobre este assunto.

Percebi que somente um criador fascinante – Deus – poderia conceber e explicar o fantástico teatro da psique. A ciência que conduziu muitos a descrerem de Deus gerou em mim o contrário, implodiu meu ateísmo. Fez-me enxergar a assinatura de Deus atrás da cortina da existência. Vejo Deus no delírio de um psicótico, no sorriso de uma criança, na anatomia de uma flor e, principalmente, no mundo intangível dos pensamentos.

Acho belo as pessoas que têm uma religião, que defendem o que creem com respeito e que são capazes de expor e não impor suas ideias. Quanto a mim, não tenho nem defendo uma religião. Minhas pesquisas sobre Jesus Cristo me levaram a ser um cristão sem fronteiras.

Como disse, meus livros não apenas são usados nas universidades, mas lidos por cristãos, judeus, islamitas, budistas, ateus. Cada pessoa deve seguir sua própria consciência e ser responsável por ela.

As pessoas insistiam com Jesus para saber qual era seu rótulo, qual era sua bandeira. Ele as olhava e dizia: "Eu sou o filho do homem." Sua resposta era surpreendente. Ser filho do homem é não ter nenhuma barreira, nenhuma bandeira que segrega, a não ser a bandeira do amor, da entrega, da solidariedade. Ele era positivamente um servo da humanidade. Amava-a até o limite do impensável.

No mundo político, acadêmico e religioso (cristão e não cristão) existem grupos fechados, sectários, rígidos. Neste exato momento em alguma parte da Terra há pessoas matando, ferindo, destruindo, digladiando por causa das suas ideologias e de suas "verdades".

O conflito entre muçulmanos e o sistema ocidental infelizmente ainda vai produzir capítulos dramáticos. A crise na Chechênia, os conflitos no Sudão, a fome na África, as misérias na América Latina, os conflitos entre as Coreias, a crise entre a Índia e o Paquistão são sintomas de uma espécie doente.

Nossa espécie está doente, não apenas pelo estresse, pela competição predatória, pelo individualismo, pela síndrome SPA, mas também pela falta de amor, de fraternidade, de sabedoria. As ideias devem servir à vida e não a vida às ideias. Mas quem não é sábio serve às ideias. Os piores inimigos de uma ideia são aqueles que a defendem radicalmente, mesmo na ciência.

Os radicais valorizam os rótulos, não sabem que o amor não tem cor, ideologia, raça e cultura. Infelizmente insistimos em nos dividir entre americanos e árabes, judeus e palestinos, pessoas do Primeiro Mundo e do Terceiro Mundo, ricos e miseráveis.

Precisamos sonhar com o amor. Precisamos sonhar com uma humanidade fraterna, solidária, inclusiva, gentil e unida. Não é um dos maiores sonhos? Espero com humildade que minha teoria coloque um pouco de combustível na unidade de nossa espécie. Sempre fomos mais iguais do que imaginamos nos bastidores de nossas mentes.

Os sonhadores não são gigantes

Fracassei muito, errei muito, conheci de perto minhas limitações. Hoje tenho tido mais sucesso do que mereço. O dia em que achar que mereço tudo que tenho deixarei de sonhar e criar. Serei estéril.

Mais de cem mil vezes por dia bilhões de células do nosso coração pulsam sem que peçamos. Temos muito que agradecer. Os sonhadores agradecem a Deus o espetáculo da vida. Eles não são gigantes nem pessoas especiais, mas pessoas que tombam, choram e se levantam.

Para mostrar aos leitores que cada pessoa tem tanta capacidade quanto eu e pode ir até mais longe do que fui, vou contar uma história real e curiosa. Depois de 25 anos de formatura do ensino médio (segundo grau), minha turma resolveu fazer uma festa de confraternização. Foi uma alegria reencontrar meus colegas após tanto tempo. Brincávamos uns com os outros como se o tempo não tivesse invadido nossas vidas.

Nossos professores foram homenageados com justiça. No meio da festa, um grupo de alunos pediu silêncio para homenagear um colega. Num clima de muito riso, fizeram um teatro improvisado para mostrar como era seu comportamento. Contaram minha história. Homenagearam-me não por ser o melhor aluno, mas o mais relapso de todos.

Sorrindo, uns disseram que eu tinha apenas um caderno, mas não havia nada escrito. Outros comentaram que eu não tinha caderno algum. Depois de muitas gargalhadas, passaram a lista da média final das notas. Minha nota era a segunda da lista de mais de quarenta alunos, só que de baixo para cima.

Meus amigos vinham me abraçar emocionados, orgulhosos e impressionados em ver aonde cheguei. Alguns que tinham profissões bem humildes, mas não menos dignas do que a minha, me chamavam de doutor. Eu dizia: "Doutor? Eu? Não, sou apenas um amigo de vocês."

Então, eu pegava a lista das notas e mostrava que eles eram melhores do que eu. Eram mais aplicados e eficientes. Ao recordar as notas, sentiam-se animados, resgatavam sua autoestima. Novos abraços, novos risos, nova comoção.

A vida é uma universidade viva

Tempos depois, quando eu estava escrevendo este livro, encontrei uma das minhas amigas daquela época, a Malu. Não tivera oportunidade de conversar com ela na festa de confraternização. Havia 25 anos que não nos falávamos.

Ela me disse que era professora numa escola pública da periferia de uma cidade distante. De repente, ela me comoveu com sua conversa. Comentou que há anos conta a minha história para seus alunos, que são pobres, vítimas de violência, que vivem no meio de traficantes e não têm esperança de ascensão social.

Disse que conta minha história para estimular seus alunos a não terem medo de sonhar. Curioso, perguntei o que ela lhes dizia. Rindo, ela me respondeu que contava que eu era relaxado, não estudava, vivia distraído. Meus cabelos estavam sempre espetados. Os botões da minha camisa viviam abotoados errados. Metade da minha camisa ficava dentro da calça e metade, fora. Meu comportamento levava à loucura o inspetor de alunos, que era bem rígido com nosso uniforme.

Dei muitas risadas. No mesmo dia reuni minhas três filhas e contei-lhes o que Malu me dissera. Minhas filhas riram bastante, mas comentaram que eu não tinha mudado muito. Brinquei com elas, ressalvando que pelo menos nas minhas conferências eu vou fantasiado de terno e gravata. Todos rimos. Minhas filhas e minha esposa cuidam de mim. Nunca sei combinar roupa, e se me deixarem por conta própria sou capaz de vestir uma meia de cada cor.

Antes de me despedir da Malu, indaguei: "Sabe de onde estou chegando?" Olhou-me sem resposta. "Da agência do correio, onde acabei de postar uma carta para Israel." Ela ficou surpresa. Continuei: "Essa carta contém um grande sonho, um contrato de publicação. Meus livros serão publicados no Oriente Médio." Ficou emocionada.

Eu tenho origem judia e árabe, além de espanhola e italiana. Os conflitos entre esses povos tocam as raízes da minha emoção. Sonho em ver as crianças judias e palestinas brincando juntas nas ruas de Jerusalém. Sonho em ver os adolescentes olhando para a vida sem medo do amanhã.

Desejo que meus livros possam contribuir pelo menos um pouco para que o discurso de Martin Luther King faça eco naquela região e que os escravos do medo e do terror possam enfim cantar:

"Finalmente livres! Finalmente a paz triunfou sobre o ódio. Finalmente descobrimos que somos irmãos, que pertencemos à mesma espécie. Finalmente descobrimos que a violência gera violência, que os fracos condenam e julgam, mas os fortes perdoam e compreendem. Agora, enfim, podemos chorar, abraçar, amar e sonhar juntos!"

Algumas lições

Alguns cientistas dizem que escrevi uma das teorias mais complexas da atualidade. Outros me acham especial porque recebi título de membro de honra de uma academia de gênios ou porque dou conferências para intelectuais. Mas não esqueça que fui um dos piores alunos da minha escola.

Escrevi minha história para mostrar que qualquer pessoa pode me superar. Como pesquisador da inteligência, estou convicto de que minha inteligência não é melhor do que a de ninguém. A mais excelente genialidade é a construída nos escombros das dificuldades e nos desertos secos dos desafios.

Eu creio que não possuo a carga genética de um gênio e tenho convicção de que o anfiteatro da minha mente possui os mesmos "engenheiros" (fenômenos) que constroem as cadeias de pensamentos de qualquer ser humano. Por isso, realmente torço para que muitos jovens e adultos, através da leitura deste livro, sejam audaciosos em pensar e possam ir mais longe do que eu fui. A humanidade precisa de pensadores apaixonados pela existência.

Para encerrar este capítulo, gostaria de reforçar algumas lições que aprendi:

Aprendi que a disciplina sem sonhos produz servos que fazem tudo automaticamente. E os sonhos sem disciplina produzem pessoas frustradas que não transformam os sonhos em realidade.

A respeito desse ponto, eu ainda sou uma pessoa desorganizada, mas em relação aos meus sonhos sou disciplinado. Por isso, quando escrevo, procuro ser — mais do que um escritor — um escultor de ideias.

Aprendi que os sonhos transformam a vida numa grande aventura. Eles não determinam o lugar aonde você vai chegar, mas produzem a força necessária para arrancá-lo do lugar em que você está.

Aprendi que ninguém é digno do pódio se não usar suas derrotas para alcançá-lo. Ninguém é digno da sabedoria se não usar suas lágrimas para cultivá-la. Ninguém terá prazer no estrelato se desprezar a beleza das coisas simples no anonimato. Pois nelas se escondem os segredos da felicidade.

— *Capítulo 5* —

Nunca desista de seus sonhos

Os sonhos não podem morrer

Ao longo da história muitos seres humanos conheceram a sinfonia da incompreensão e a melodia das rejeições. Ninguém os entendia, ninguém os apoiava, ninguém acreditava neles. Aprisionados na terra da solidão, só podiam contar com a força dos seus sonhos e da sua fé. Suportaram avalanches por fora e terremotos por dentro.

Sócrates, Platão, Aristóteles, Agostinho, Spinosa, Kant, Descartes, Hegel, Einstein e tantos outros foram dominados e impulsionados por seus sonhos. Brilharam como pensadores. Seus pensamentos tornaram-se chuva tranquila que irrigou os excelentes campos das ideias. Mas onde estão os pensadores da atualidade?

Centenas de milhões de jovens estão nas escolas em todo o mundo, mas são vítimas de uma educação em crise. Os professores estão se transformando em máquinas de ensinar, e os alunos, em máquinas de aprender.

O futuro da humanidade depende da educação. Os jovens de hoje serão os políticos, os empresários e os profissionais de amanhã. A educação não precisa de consertos, precisa passar por uma revolução.

Nessa revolução, em primeiro lugar, é necessário que os professores sejam valorizados e aliviados. Nunca uma classe tão nobre foi tão desprestigiada profissionalmente. Eles deveriam trabalhar menos e ganhar mais.

Os professores da pré-escola à universidade deveriam ter um salário igual ou melhor do que o dos juízes, dos promotores, dos psiquiatras, dos psicólogos clínicos, dos generais, dos chefes de polícia. Por quê?

Porque o trabalho deles é tão importante quanto o de todos esses profissionais. Os professores educam a emoção e trabalham nos solos da inteligência para que os jovens não adoeçam em sua mente, não se sentem nos bancos dos réus, não façam guerras.

Quem é mais importante, aquele que previne as doenças ou aquele que as trata? A medicina preventiva é certamente mais importante do que a curativa. Os educadores são os profissionais que mais contribuem para a humanidade. Todavia, eles estão em um dos últimos lugares na escala profissional.

Muitos profissionais são tratados com mais dignidade do que eles. O mais triste é saber que professores cuidam dos filhos dos outros, mas muitas vezes não têm recursos para educar seus próprios filhos.

Muitas escolas particulares querem pagar salários melhores para seus mestres, mas não suportam. Os governos deveriam subsidiá--las, deveriam resgatar também a dignidade das escolas públicas.

Alguém poderia argumentar dizendo que os governos faliriam se investissem fortemente na educação. Se metade do orçamento das forças armadas, do dinheiro gasto com as pesquisas com antidepressivos, com o aparato policial, com o combate ao uso de drogas fosse investido na educação, os jovens teriam mais chances de ser menos repetidores de informações e mais pensadores, menos doentes e mais sábios, menos frustrados e mais sonhadores.

O caos da humanidade é reflexo do desprezo que as sociedades modernas têm pela educação. Nos discursos políticos a educação está em primeiro lugar, na ação concreta está em último.

As sociedades que desprezam os educadores desprezam seus jovens, asfixiam seu futuro. De fato, a juventude tem sido massacrada pelo sistema. Nossos filhos estão perdendo sua identidade, são tratados como consumidores, um número de cartão de crédito.

O índice de agressividade, ansiedade, depressão, farmacodependência, alienação social entre os jovens cada vez aumenta mais. Os professores estão estressados, e os alunos, ansiosos. Quando vamos acordar?

O excesso de conhecimento e a síndrome SPA

A crise da educação não se deve apenas à desvalorização do professor, mas também à falência do processo de aprendizagem. O sistema educacional é obsessivo-compulsivo. Os alunos são colocados no mesmo programa, como se todos tivessem personalidades iguais. O conteúdo e o programa de ensino são engessados.

Os professores são obrigados a seguir um rígido programa. Os alunos são bombardeados com milhões de informações inúteis. Eles se estressam e estressam seus alunos. A função da memória não é ser um banco de dados, mas um suporte da criatividade.

Na Espanha 80% dos professores estão estressados, e no Brasil, 91%. Acordam cansados, têm excesso de sono, dores de cabeça, dores musculares, ansiedade, esquecimento e muitos outros sintomas. No mundo todo a situação é semelhante, pois estamos enfrentando alguns problemas universais.

O sistema educacional dissipa a saúde psíquica dos professores e a motivação dos alunos para construir o conhecimento. O resultado? Poucos alunos de fato aprendem e quando aprendem não sabem para que serve o conhecimento que adquiriram. Não há o prazer de aprender como Platão sonhava.

Nos últimos seis meses dei conferências para mais de 25 mil educadores. Muitos eram professores universitários. Eles representavam um universo de mais de dois milhões de alunos. Eu lhes perguntei: o que é mais importante para formar um pensador – a dúvida ou o conhecimento pronto? Todos disseram que era a dúvida. Em seguida, indaguei: "O que vocês ensinam?" Surpreendidos e honestos, disseram que ensinavam o conhecimento pronto.

Este é o sistema. Damos o conhecimento pronto e acabado para os jovens. Não os estimulamos a criticar, questionar, discordar. Os alunos não descobrem, não criam, não ousam pensar, não se aventuram. O sistema, sem perceber, encarcera o "eu", aprisionando-o na plateia, não o estimulando para que assuma seu papel de diretor do script da sua história.

Os professores são poetas da vida, mas o sistema de ensino, do nível fundamental à universidade, tem formado servos. Os jovens estão despreparados para enfrentar os desafios exteriores e os conflitos interiores. Não sabem proteger sua emoção, administrar seus pensamentos, expor suas ideias, pensar antes de reagir.

O conhecimento, que dobrava a cada dois séculos, hoje dobra no máximo a cada cinco anos. O que fazer com todo esse conhecimento? Exigir que o professor o ensine e que os alunos o aprendam é fabricar pessoas doentes. O excesso de informações excita a construção exagerada dos pensamentos, gera ansiedade e obstrui a criatividade.

Todos os grandes pensadores da história brilharam não pelo excesso de conhecimento na memória, mas pela sua capacidade de duvidar, de se abrir ao novo, de percorrer áreas nunca antes pisadas, de expandir sua inventividade.

O excesso de informações, associado ao excesso de estímulo provocado pela TV e ao excesso de consumo, tem gerado, como já comentei, a síndrome SPA (Síndrome do Pensamento Acelerado).

Nunca uma geração teve um aumento tão grande na velocidade de construção de pensamentos como a nossa. Adultos e crianças não se concentram, detestam a rotina, perdem rapidamente o prazer das coisas que conseguem, têm uma mente agitada. A paciência, característica tão importante para a saúde emocional, se dissipou. Se o computador leva um minuto a mais para completar uma operação, as pessoas já se irritam.

Muitos se preocupam com essa situação, mas poucos estão percebendo a sua gravidade. Por causa da SPA, o último lugar em que as crianças e adolescentes querem estar é dentro da sala de aula. Eles têm culpa? Não!

Mexemos na caixa-preta do funcionamento da mente, aceleramos perigosamente e sem perceber a troca de cenário da mente das crianças e jovens. Por isso, eles não refletem, não se interiorizam, repetem os mesmos erros com frequência, não amadurecem.

Além disso, nossa geração quis dar o melhor para eles. Não queríamos que andassem na chuva, se machucassem nas ruas, se ferissem com as brincadeiras caseiras, quisemos poupá-los das dificuldades. Colocamos uma televisão na sala e nos quartos, fornecemos computadores, videogame. Nossas crianças e nossos adolescentes estão cheios de atividades, correndo entre cursos de línguas, computação, judô, natação, música e dança.

A intenção foi ótima, o resultado foi péssimo. Os pais não percebem que as crianças precisam ter infância, necessitam inventar, correr riscos, frustrar-se, divertir-se, se encantar com as pequenas coisas simples da vida. Não imaginam que as funções mais importantes da inteligência dependem das aventuras da criança.

Criamos uma estufa para nossos filhos e pagamos um preço caríssimo. A SPA gerou neles um apetite psíquico insaciável. Tornaram-se a geração mais insatisfeita, ansiosa, alienada, desmotivada, despreocupada com o futuro que já pisou nesta Terra. Eles raramente têm ideais, projetos de vida, audácia, sonhos.

Há poucos dias uma jovem de 20 anos procurou-me com uma grave depressão. Disse que tentou o suicídio três vezes. Na última atirou-se do quarto andar de um prédio e, felizmente, não morreu. Após avaliar a sua história, perguntei-lhe quais eram seus sonhos. Ela disse que não tinha nenhum sonho.

Não tinha projetos, metas, vontade de lutar por algo. Mesmo antes da crise depressiva, sua emoção não tinha sabor. Sentia-se vazia. Comentei que ela precisava não apenas tratar da sua depressão, mas irrigar sua vida com sonhos, dar um sentido para sua existência. Existência clama por significado (Sartre, 1997).

Apesar de haver diversas exceções, a geração dos jovens da atualidade é a que mais tem cultura lógica e menos cultura emocional e existencial. Estão desenvolvendo doenças emocionais não apenas por conflitos do passado, mas principalmente porque estão despreparados para fracassar, sofrer perdas, chorar, competir, construir oportunidades. Não sabem lidar com a solidão nem contemplar o belo. Suas emoções são fugazes e sem raízes.

Precisamos ajudá-los a sonhar. Precisamos estimulá-los a ser engenheiros de ideias. Levá-los a crer que são seres humanos com um enorme potencial intelectual. O futuro da humanidade está em jogo. Espero que o Projeto Escola da Vida, que comentei, possa contribuir para repensar a educação e estimular nossos jovens a crer na vida.

Sonhos procurados e sonhos soterrados

Alguns sonhos são belos, outros poéticos; uns realizáveis, outros difíceis de ser concretizados; uns envolvem uma pessoa, outros, a sociedade; uns possuem rotas claras, outros, curvas imprevisíveis; uns são rapidamente produzidos, outros precisam de anos de maturação.

Há muitos tipos de sonhos. Sonho de se apaixonar por alguém, de gerar filhos ou conquistar amigos. Sonho de fazer uma faculdade, ter uma empresa, ter sucesso financeiro para si e para ajudar os outros. Sonho de ter saúde física e psíquica, de ter paz interior e de viver intensamente cada momento da vida.

Sonho de ser um cientista, um médico, um educador, um empresário, um empreendedor, um profissional que faça a diferença. Sonho de viajar pelo mundo, de pintar quadros, escrever um livro, ser útil para o próximo. Sonho de aprender um instrumento, praticar esportes, bater recordes.

Muitos enterram seus sonhos nos escombros dos seus problemas (Freud, 1969). Alguns soldados nunca mais foram motivados para a vida depois que viram seus colegas morrerem em combate.

Alguns palestrantes nunca mais resgataram sua segurança depois que tiveram um ataque de pânico em público. Alguns esportistas não conseguiram repetir sua performance depois que fizeram uma cirurgia corretiva ou foram pegos no exame antidoping.

Algumas mulheres nunca mais tiveram orgasmos depois que foram estupradas ou sofreram abuso sexual. Alguns homens e mulheres nunca mais conseguiram se entregar depois que foram traídos por quem amavam.

Alguns jornalistas enterraram sua criatividade depois que

foram cerceados por seus superiores. Alguns jovens bloquearam sua inteligência depois que tiveram péssimo desempenho nas provas e concursos.

Pessoas encantadoras obstruíram seus sonhos ao longo da vida. Mas precisamos desenterrá-los, pela superação de nossos traumas, conflitos, focos de tensão. Nossos sonhos precisam novamente respirar.

O presidente Franklin Roosevelt disse que a única coisa a temer é o medo do medo. É preciso vencer o medo evidente e principalmente o medo sutil, o medo do medo, para alçar o voo dos sonhos.

Riscos que constroem

Quem quer realizar seus sonhos não deve esperar caminhos sem bloqueios, vitórias sem acidentes. Aos 28 anos, Jack Welch, ex-presidente da General Electric e um dos executivos mais sonhadores e brilhantes do mundo empresarial, ao tentar desenvolver um novo produto, causou a explosão de uma fábrica.

O jovem Jack poderia ter obstruído sua inteligência, bloqueado sua ousadia. Ele comentou que se sentia uma pessoa naufragada e ansiosa. Foi um desastre. Todavia, não desistiu. Correu novos riscos para atingir sua meta.

Se tivesse desistido, provavelmente sua empresa não teria produzido um tipo de plástico que lhe rendeu mais de um bilhão de dólares desde o seu lançamento. Após a derrota explosiva veio o sucesso lento e consistente.

A Disney Animation produziu memoráveis sucessos, como *Rei Leão* e *Os 101 dálmatas*. Mas também produziu um fracasso enorme com o filme *Caldeirão negro*. Seu diretor de animação, Peter Schneider, comentou que seu único consolo é que não conseguiria produzir nada pior do que esse filme.

Os erros, os fracassos, as incompreensões geraram lições únicas para aqueles que lutaram por seus sonhos. Cumpre aos verdadeiros líderes, como os pais, educadores, executivos, incentivar quem fracassa a extrair sabedoria das suas experiências dolorosas, em vez de cultivar a culpa.

Errar é uma etapa do inventar, falhar são degraus do criar. Por isso, a cultura das provas está errada nas escolas do mundo todo. Quem acerta tem notas altas, quem erra é punido com notas baixas. Esta política desrespeita a riquíssima pedagogia do ensaio e erro que promoveu as grandes conquistas da história.

Se quem erra é punido, a punição é registrada de maneira privilegiada no centro da memória através do fenômeno RAM (Registro Automático da Memória), obstruindo a ousadia e a inventividade.

Por outro lado, se quem erra é valorizado e encorajado, ele consegue ampliar os horizontes da reflexão, incorporar novas experiências e refazer caminhos. Lembre-se de que caímos muitas vezes até aprendermos a andar. Quem erra tem oportunidade de sonhar com as conquistas, tem mais chance de aprender e mais gosto pela vitória. Este é um dos fundamentos da inteligência multifocal. Entretanto, o medo de errar gera um "eu" submisso, tímido e inseguro.

Para Miles Davis, um grande nome do jazz, que tocou em grandes orquestras e com os All Stars (uma espécie de time dos sonhos do jazz), não se deve temer os erros, pois eles não existem. Tudo depende de como você os enfrenta.

Esse músico entendeu um fenômeno psicológico que o sistema educacional há séculos resiste em entender. E, para mostrar que Miles Davis tinha razão, darei alguns exemplos que talvez o surpreendam.

Fleming descobriu a penicilina graças a um fungo que contaminou a lâmina de cultura que ele deixara sem proteção no laboratório. Acertou errando. Um erro levou à produção da penicilina, que salvou milhões de pessoas da morte e de dores insuportáveis.

Roentgen descobriu o raio X pelo descuido no manuseio de uma placa fotográfica. Einstein teve de recuperar do lixo algumas passagens das equações que levaram à teoria da relatividade. Simon Campbell errou ao não conseguir chegar ao novo medicamento para desobstruir artérias em casos de angina, mas descobriu o Viagra.

Nos alicerces das grandes descobertas existem grandes falhas, nos alicerces das grandes falhas existem grandes sonhos de superação. Realizar os sonhos implica riscos, riscos implicam escolhas, escolhas implicam erros.

Quem sonha não encontra estradas sem obstáculos, lucidez sem perturbações, alegrias sem aflição. Mas quem sonha voa mais alto, caminha mais longe. Toda pessoa, da infância ao último estágio da vida, precisa sonhar. Vejamos.

Os sonhos e as crises nas relações sociais

Você não precisará de sonhos para atravessar um pequeno atrito com alguém, mas precisará deles para superar suas tempestades emocionais, para vencer uma crítica injusta, uma calúnia, uma discriminação, uma deslealdade.

Precisará sonhar com a leveza da vida para superar as decepções causadas pelos estranhos e para vencer as mágoas causadas pelas pessoas que você ama.

Precisará sonhar com a solidariedade para compreender os erros dos outros, perdoar seus atos insensatos, ter esperança de que um dia mudarão. Precisará de sonhos para entender que ninguém pode dar o que não tem.

Os sonhos e o trabalho

Você não precisará de sonhos para ser um trabalhador comum, massacrado pela rotina, que faz tudo igual todos os dias e que vive apenas em função do salário no final do mês.

Mas precisará de muitos sonhos para ser um profissional que procura a excelência, amplia os horizontes de sua inteligência, fica atento às pequenas mudanças, tem coragem para corrigir rotas, tem capacidade para prevenir erros, tem ousadia para fazer das suas falhas e dos seus desafios um canteiro de oportunidades.

Precisará de sonhos para enxergar soluções que ninguém vê, para apostar naquilo que crê, para encantar seus colegas, para surpreender sua equipe de trabalho.

Os sonhos e as doenças físicas

Você não precisa de sonhos para vencer um resfriado, mas precisará de muitos sonhos para suportar com alegria uma doença crônica, para superar com coragem um câncer, um enfarte, um acidente. Precisará de sonhos para acreditar na vida e fazer de cada minuto um momento eterno, mesmo no leito de um hospital.

Precisará sonhar com os patamares mais altos da qualidade de vida para não se transformar em uma máquina de trabalhar e não se destruir pelo estresse e ansiedade. Precisará de sonhos para repensar seu estilo de vida e investir naquilo que você ama.

Precisará de sonhos afetivos para não fumar, para beber moderadamente, para não expor sua frágil vida a riscos numa estrada. Afinal de contas, sempre existe alguém apaixonado por você e que sonha viver longos anos ao seu lado.

Os sonhos e a idade

Você talvez não precise de sonhos enquanto estiver valorizado socialmente e em plena forma profissional. Mas precisará de sonhos para ser criativo, atraente e perspicaz depois de se aposentar.

Precisará de mais sonhos ainda para nunca aposentar sua mente e para transformar a terceira idade na fase mais rica, calma e produtiva da sua existência. Precisará deles para ler, escrever, pintar, fazer cursos, contar histórias, compor poesias, viver aventuras.

Precisará de sábios sonhos para gozar os melhores dias de sua vida e fazer da fase de perda da força muscular um período de vigor mental e de usufruto da sabedoria acumulada nos anos.

Os sonhos e a juventude

Jovens, vocês não precisarão de sonhos se optarem por gastar o dinheiro dos seus pais, explorá-los e achar que eles são obrigados a satisfazer os seus desejos. Também não precisarão de sonhos para dizer que eles são chatos, caretas, ultrapassados, controladores, impacientes, incompreensíveis.

Mas precisarão de muitos sonhos para garimpar o ouro que se esconde no coração dos seus pais. Precisarão de sonhos para entender que eles não deram tudo o que vocês quiseram, mas deram tudo o que puderam. Precisarão dos "sonhos sábios" para entender e suportar os "nãos" dos seus pais, pois os "nãos" de quem os ama irão prepará-los para suportar um dia os "nãos" da vida.

Precisarão de sonhos para descobrir que seus pais perderam noites de sono para que vocês dormissem tranquilos, derramaram lágrimas para que vocês fossem felizes, adiaram alguns sonhos para que vocês sonhassem.

Segundo a ONU (Organização das Nações Unidas), o índice de desemprego entre os jovens é altíssimo. Muitos não terão chance no mercado competitivo e agressivo. A situação piora porque muitos estão despreparados para ousar, criar, empreender. Mas não tenham medo. Saibam que seus pais e outras pessoas apostam em vocês, apesar das suas falhas; acreditam em vocês, apesar dos seus defeitos.

Por isso, agora, vocês precisam de grandiosos sonhos para enfrentar a vida de peito aberto, se preparar para trabalhar seus medos, vencer suas crises, superar sua passividade e amar os desafios. Assim, escaparão do rol dos frustrados, sairão da sombra dos seus pais e construirão sua própria história.

Os sonhos e os pais

Os pais e mães não têm necessidade de sonhos para apontar as falhas dos seus filhos, fazer sermões, dar broncas, ter crises de ansiedade, criticá-los, compará-los com outros jovens, funcionar como um manual de regras.

Mas precisarão de muitos sonhos para encantá-los, surpreendê-los e ensiná-los a pensar. Precisarão de inumeráveis sonhos para que eles aprendam a amá-los e não usá-los, admirá-los e não temê-los.

Precisarão sonhar com a sabedoria para pedirem desculpas aos filhos quando errarem, agredirem, falharem, julgarem, perderem a paciência com eles. Desta forma os filhos aprenderão a lidar com suas próprias falhas, agressividade e intolerância.

Precisarão sonhar com a maturidade psíquica para cruzar o seu mundo com o deles, para deixá-los conhecer seus fracassos, suas lágrimas, seus recuos, sua ousadia. Para não transformá-los em jovens tímidos, não superprotegê-los e não atolá-los de atividades, mas deixá-los brincar, se aventurar, inventar.

Precisarão de sonhos para saber que seus filhos precisam muito mais do seu toque, dos seus beijos, seus elogios, sua história de vida do que do seu dinheiro, de roupas de grifes, de computadores e videogames.

Os sonhos e os professores

Professores, vocês não precisarão de sonhos para ter eloquência, metodologia, conhecimento lógico. Nem precisarão de sonhos para gritar com os alunos, implorar silêncio em sala de aula, dizer que não terão futuro se não estudarem.

Mas precisarão de sonhos para transformar a sala de aula num ambiente prazeroso e atraente que educa a emoção dos seus alunos, que os retira da condição de espectadores passivos para se tornarem atores do teatro da educação.

Precisarão de sonhos para esculpir em seus alunos a arte de pensar antes de reagir, a cidadania, a solidariedade, para que aprendam a extrair segurança na terra do medo, esperança na desolação, dignidade nas perdas.

Precisarão de sonhos para serem poetas da vida e acreditarem na educação, apesar de as sociedades modernas a colocarem em um dos últimos lugares em suas prioridades.

Precisarão de sonhos espetaculares para terem a convicção de que vocês são artesãos da personalidade e saberem que sem vocês nossa espécie não tem esperança, nossas primaveras não têm andorinhas, nosso ar não tem oxigênio, nossa inteligência não tem saúde.

Os sonhos e os conflitos afetivos

Você não precisará de sonhos para superar uma pequena tristeza ou um momento de ansiedade. Mas precisará de espetaculares sonhos para vencer uma crise depressiva, o desânimo, a falta de coragem de viver, e, assim, acreditar que todo transtorno psíquico, por mais dramático que seja, pode ser superado.

Precisará de sonhos que exaltam a grandeza da vida para superar uma síndrome do pânico, um transtorno obsessivo, uma doença psicossomática, um estresse pós-traumático gerado por um acidente ou uma crise financeira. Somente os sonhos nos fazem suportar uma perda irreparável. Eles lubrificam os olhos do coração: fazem uma mãe que perdeu um filho enxergá-lo brincando na eternidade.

Precisará de sonhos para não ser escravo da culpa, prisioneiro do passado, servo das preocupações do futuro. Precisará deles para sair da plateia, resgatar a liderança do "eu", deixar de ser vítima das suas mazelas psíquicas, reeditar o filme do inconsciente e tornar-se autor da sua própria história.

Precisará de singelos sonhos para cobrar menos de si e das pessoas que o rodeiam; para elogiar, brincar, cantar e compreender mais. Além disso, precisará de muitos sonhos para zombar dos seus medos, debochar da sua insegurança, dar risadas das suas manias e, assim, viver relaxada e suavemente nessa bela e turbulenta existência.

Sonhar é preciso

Sem sonhos, as pedras do caminho se tornam montanhas, os pequenos problemas ficam insuperáveis, as perdas são insuportáveis, as decepções se transformam em golpes fatais e os desafios se transformam em fonte de medo.

Voltaire disse que os sonhos e a esperança nos foram dados como compensação às dificuldades da vida. Mas precisamos compreender que sonhos não são desejos superficiais. Sonhos são bússolas do coração, são projetos de vida. Desejos não suportam o calor das dificuldades. Sonhos resistem às mais altas temperaturas dos problemas. Renovam a esperança quando o mundo desaba sobre nós.

John F. Kennedy disse que precisamos de seres humanos que sonhem o que nunca foram. Tem fundamento seu pensamento, pois os sonhos abrem as janelas da mente, arejam a emoção e produzem um agradável romance com a vida.

Quem não vive um romance com sua vida será um miserável no território da emoção, ainda que habite em mansões, tenha carros luxuosos, viaje de primeira classe nos aviões e seja aplaudido pelo mundo.

Precisamos perseguir nossos mais belos sonhos. Desistir é uma palavra que tem que ser eliminada do dicionário de quem sonha e deseja conquistar, ainda que nem todas as metas sejam atingidas. Não se esqueça de que você vai falhar 100% das vezes em que não tentar, vai perder 100% das vezes em que não procurar, vai estacionar 100% das vezes em que não ousar caminhar.

Como disse o filósofo da música Raul Seixas: "Tenha fé em Deus, tenha fé na vida, tente outra vez..." Se você sonhar, poderá sacudir o mundo, pelo menos o seu mundo...

Se você tiver de desistir de alguns sonhos, troque-os por outros. Pois a vida sem sonhos é um rio sem nascente, uma praia sem ondas, uma manhã sem orvalho, uma flor sem perfume.

Sem sonhos, os ricos se deprimem, os famosos se entediam, os intelectuais se tornam estéreis, os livres se tornam escravos, os fortes se tornam tímidos. Sem sonhos, a coragem se dissipa, a inventividade se esgota, o sorriso vira um disfarce, a emoção envelhece.

Liberte sua criatividade. Sonhe com as estrelas, para poder pisar na Lua. Sonhe com a Lua, para poder pisar nas montanhas. Sonhe com as montanhas, para pisar sem medo nos vales das suas perdas e frustrações.

Apesar dos nossos defeitos, precisamos enxergar que somos pérolas únicas no teatro da vida e entender que não existem pessoas de sucesso ou pessoas fracassadas. O que existe são pessoas que lutam pelos seus sonhos ou desistem deles. Por isso, desejo sinceramente que você...

Nunca desista de seus sonhos!

Referências bibliográficas

ALENCAR, Soriano. *Psicologia e educação do superdotado.* E.P.U. São Paulo, 1986.
ADORNO, T. *Educação e emancipação.* Paz e Terra. Rio de Janeiro, 1971.
CHAUÍ, Marilena. *Convite à Filosofia.* Ática. São Paulo, 2000.
CURY, Augusto J. *Inteligência Multifocal.* Cultrix. São Paulo, 1998.
____. *Análise da Inteligência de Cristo.* Academia de Inteligência. São Paulo, 2001.
____. *Revolucione sua qualidade de vida.* Sextante. Rio de Janeiro, 2002.
____. *Pais brilhantes, professores fascinantes.* Sextante. Rio de Janeiro, 2003.
____. *Doze semanas para mudar uma vida.* Academia de Inteligência. São Paulo, 2004.
DURANT, Will. *História da Filosofia.* Nova Fronteira. Rio de Janeiro, 1996.
GARDNER, Howard. *Inteligências múltiplas.* Artes Médicas. Porto Alegre, 1995.
GOLEMAN, Daniel. *Inteligência emocional.* Objetiva. Rio de Janeiro, 1996.
FOUCAULT, Michel. *A doença e a existência. Doença mental e psicologia.* Folha Carioca. Rio de Janeiro, 1998.
FREUD, Sigmund. *Obras psicológicas completas de Sigmund Freud.* Imago. Rio de Janeiro, 1969.
MORIN, Edgar. *Os sete saberes necessários à educação do futuro.* Cortez/Unesco. São Paulo, 2000.
NIETZSCHE, F. *Humano demasiado humano.* Relógio D'Água. Lisboa, 1997.
FREIRE, Paulo. *Pedagogia da autonomia: saberes necessários à prática educativa.* 7ªed. Paz e Terra. Rio de Janeiro, 1998.
JUNG, Carl Gustav. *A psicologia do inconsciente – Obras completas.* Vozes. Petrópolis, 1998.
KAPLAN, Harold I., Sadoch Benjamin, J. e Grebb, J. A. *Compêndio de psiquiatria: ciência do comportamento e psiquiatria clínica.* Artes Médicas. Porto Alegre, 1997.
PIAGET, Jean. *Biologia e conhecimento.* 2ª ed. Vozes. Petrópolis, 1996.
PLATÃO. "República. Livro VII", in *Obras completas,* edição bilíngue. Les Belles Lettres. Paris, 1985.
RICOEUR, P. *L'Homme Falible.* Seuil. Paris, 1960.
SARTRE, Jean-Paul. *O ser e o nada – Ensaio de antologia.* Vozes. Petrópolis, 1997.
VIGOTSKY, L. *A formação social da mente.* Martins Fontes. São Paulo, 1987.

Comentários de leitores

Olá, Augusto Cury

Sou educadora e fiz especialização em psicopedagogia. Essa semana adquiri o seu livro *Pais brilhantes, professores fascinantes* e confesso que o "devorei"!!!

Providenciei algumas mudanças nas minhas aulas através do Projeto Escola da Vida contido no seu livro: coloquei a sala de aula em U (alguns professores odiaram inicialmente), dei mais atenção (com emoção) aos alunos-problemas, que são muitos, tentei negociar com professores para não levar à frente a expulsão de alguns alunos. Enfim, essa semana na minha escola ocorreram a reflexão e a "humanização". Garanto, o mérito é seu!

Patrícia Puntel Dinamarco

Dr. Augusto

Sou diretora da Unidade 3 do Colégio Visconde de Porto Seguro, em São Paulo. Estou na escola há 24 anos, 12 deles como diretora. Neste tempo, eu e minha equipe tivemos oportunidade e coragem para ousar e fazer algumas modificações numa instituição de 125 anos.

Nossa última ousadia foi a leitura do livro *Pais brilhantes, professores fascinantes* no discurso de abertura do ano letivo, para 150 profissionais.

Iniciamos nosso ano praticando algumas técnicas sugeridas pelo senhor no Projeto Escola da Vida. Agora nossas 94 salas de aula estão dispostas em semicírculos e ouvimos música clássica a cada 45 minutos.

Em todos os lugares da escola há frases suas, para reflexão dos pais, professores e alunos. No mural da sala dos professores fixamos semanalmente um resumo de algum capítulo de seu livro.

Enfim, gostaria de agradecer as "técnicas" que tornaram nossas aulas e o relacionamento entre nós "muiiiiiiito" melhor.

Com muito carinho, aceite a minha admiração.

Jurema Esteban

Sobre o autor

Augusto Cury é psiquiatra, cientista, pesquisador e escritor. Publicado em mais de 70 países, já vendeu, só no Brasil, mais de 30 milhões de exemplares de seus livros, sendo considerado o autor brasileiro mais lido na atualidade. Seu livro *O vendedor de sonhos* foi adaptado para o cinema pela Warner/Fox. O próximo título a ganhar as telonas será *O futuro da humanidade*.

Entre seus sucessos estão *Armadilhas da mente*; *O futuro da humanidade*; *A ditadura da beleza e a revolução das mulheres*; *Pais brilhantes, professores fascinantes*; *O código da inteligência*; *O vendedor de sonhos*; *Ansiedade*; *Gestão da emoção*; *O homem mais inteligente da história* e *O homem mais feliz da história*.

Cury é autor da Teoria da Inteligência Multifocal, que trata do complexo processo de construção de pensamentos, dos papéis da memória e da construção do Eu. Também é autor do Escola da Inteligência, o primeiro programa mundial de gestão da emoção para crianças e adolescentes e o maior programa de educação socioemocional da atualidade, com mais de 400 mil alunos.

Acompanhe o autor pelo Facebook:
facebook.com/augustocuryautor

Entre em contato com o autor:
contato@augustocury.com.br
escoladainteligencia.com.br

Conheça outros títulos de Augusto Cury:

Ficção

Coleção O homem mais inteligente da história
O homem mais inteligente da história
O homem mais feliz da história
O maior líder da história

O futuro da humanidade
A ditadura da beleza e a revolução das mulheres
Armadilhas da mente

Não ficção

Coleção Análise da inteligência de Cristo
O Mestre dos Mestres
O Mestre da Sensibilidade
O Mestre da Vida
O Mestre do Amor
O Mestre Inesquecível

Nunca desista de seus sonhos
Você é insubstituível
O código da inteligência
Os segredos do Pai-Nosso
A sabedoria nossa de cada dia
Revolucione sua qualidade de vida
Pais brilhantes, professores fascinantes
Dez leis para ser feliz
Seja líder de si mesmo

sextante.com.br

Caro Augusto Cury!!!
   Gostaria de contar que você anda fazendo sucesso por onde eu passo. Para começar, na escola de meu filho de 4 anos, eu disse para a proprietária: "Vamos fazer o Projeto Escola da Vida?" Ela me respondeu prontamente: "Vamos!"
   Na faculdade onde eu leciono, os alunos estão apaixonados por você. Adquiriram seu livro *Pais brilhantes, professores fascinantes* e estão montando uma peça contida no último capítulo ("A História da Grande Torre") para recepcionar os professores e acadêmicos após as férias!

Christiane Oliveira e Márcia Miranda

   A Inteligência Multifocal foi uma oportunidade ímpar em minha vida, pois me proporcionou excelentes ferramentas para as batalhas de vida contra nossos piores inimigos, aqueles que estão na nossa mente.
   Podemos mudar assim o papel de nossa história, agora não mais como vítimas, mas como transformadores, nos dando oportunidade para errar e começar novamente tudo diferente. Enfim, *Inteligência Multifocal* gera qualidade de vida e torna tudo mais suave."

Rui Barbosa Júnior

Caro Augusto Cury
   Acabo de ler o livro *Revolucione sua qualidade de vida* e gostaria de expressar o que eu senti ao lê-lo. Fui conduzido a olhar para dentro de um espelho...
   Pude ver um autor que está arranhando um pouco do céu e trazendo um pouco da atmosfera de lá para os homens tristes, ansiosos, depressivos, angustiados, que andam sem rumo buscando a felicidade em sua porta. Seu conhecimento, sua lucidez, suas técnicas impressionam e ajudam. Há vida e emoção por trás das letras impressas nesse livro.

Danilo Pompeu

Há livros que podem nos acompanhar por toda a vida, por sua luminosidade, lucidez e atemporalidade. A coleção *Análise da Inteligência de Cristo* é um desses casos. Parabenizo-o pela abordagem apaixonada, mas absolutamente coerente com que o faz, pela originalidade, ousadia e o grande "heureca" de abordar o perfeito Mestre como referencial de personalidade.

Simone Salame

Caro Augusto Cury

Receba um abraço cheio de reconhecimento pelo bem que o senhor nos faz, pelas preciosas sementes que vem plantando no coração de todos os que têm o privilégio de conhecer o seu trabalho. O senhor tem a simplicidade dos grandes mestres e se faz tão próximo de nós que todos sentimos que temos um amigo a escrever nessas páginas.

Fátima Guerra

O livro *Pais brilhantes, professores fascinantes* está contribuindo muito para o enriquecimento das nossas discussões, além de ser como um orientador para o nosso ideário de professores. Tanto que estamos distribuindo para todo o nosso corpo docente um cartão com os sete hábitos dos professores fascinantes, de forma sintetizada, como uma maneira de conscientizá-los e motivá-los a novas posturas. Nosso muito obrigado.

Prof. Elazir

Criei o grupo dos meus sonhos, isto é, um grupo formado por minhas queridas noras, filhos e seus amigos. O mais importante é que eles perceberam a importância de uma comunicação mais profunda. O Dr. Cury, por meio do PAIQ (Programa da Academia de Inteligência de Qualidade de Vida), foi o estimulador da realização de um dos mais belos sonhos da minha vida.

Kuniko Ishigami Vaz